Ne vous noyez pas dans un verre d'eau

RICHARD CARLSON

Ne vous noyez pas
dans un verre d'eau

Traduit de l'anglais
par Ned Flaunders

Bien-être

Je dédie ce livre à mes filles, Jazzy et Kenna,
qui me rappellent tous les jours
combien il est important de se simplifier la vie.
Je vous aime tellement ! Merci d'être vous-mêmes.

Sommaire

Introduction

La plus grande découverte de ma génération, c'est qu'un être humain peut changer de vie en changeant de comportement.

William James

Confrontés à une mauvaise nouvelle, à une déception ou à un empêcheur de danser en rond, nous avons souvent tendance à adopter une attitude qui nous dessert. Nous grossissons l'incident, nous accordons trop d'importance à l'aspect négatif des choses. Quand nous butons ainsi sur de simples vétilles, non seulement cette réaction disproportionnée nous rend irritables, mais elle nous empêche de nous concentrer sur notre objectif. Dès lors, nous perdons de vue l'essentiel, nous voyons tout en noir et nous finissons par indisposer ceux-là mêmes qui auraient pu nous venir en aide.

Au fond, nous vivons en permanence comme si la vie était une course contre la montre. Nous courons de droite à gauche en prenant un air affairé, nous nous arrachons les cheveux à résoudre mille difficultés à la fois... alors que nous ne faisons que les aggraver. Le moindre incident prenant des allures de catastrophe planétaire, nous passons ainsi notre existence à surmonter drame après drame.

Avec le temps, nous nous persuadons en effet qu'il faut tout « prendre au sérieux ». Nous ne voyons plus que notre manière d'aborder les problèmes influe considérablement sur notre aptitude à les régler. En apprenant à réagir avec plus de sérénité, vous allez découvrir – je l'espère – que les obstacles qui vous paraissent « insurmontables » peuvent s'avérer parfaitement maîtrisables, jusqu'aux grosses « tuiles » – sources pourtant de stress authentique – qui ne vous laisseront plus sur le carreau comme avant.

Car heureusement, il existe une autre manière d'aborder la vie : un chemin en douceur, qui arrondit les angles et facilite les contacts avec votre entourage. Cette « autre voie » suppose de remplacer vos anciennes « réactions » par ce qu'on pourrait appeler une « mise en perspective ». Ces nouvelles habitudes vont vous permettre de mener une existence plus riche, plus satisfaisante qu'auparavant.

J'aimerais vous raconter une anecdote personnelle qui illustre à merveille le message central de ce livre. Il y a environ un an, un éditeur m'a contacté pour me demander si je pouvais obtenir une citation du Dr Wayne Dyer – auteur de nombreux best-sellers – afin de promouvoir l'édition étrangère d'un de mes livres précédents. J'ai fait savoir qu'en effet le Dr Dyer avait autrefois signé une phrase élogieuse sur ma jaquette, mais j'ignorais absolument s'il serait disposé à le refaire. J'ai promis d'essayer.

J'ai donc écrit une lettre... qui est restée sans réponse, comme c'est souvent le cas dans le milieu de l'édition. Au bout d'un certain temps, j'en ai conclu que le Dr Dyer n'avait pas le loisir ou le désir de rédiger cette phrase d'accroche. Je respectais cette décision et j'ai fait savoir à l'éditeur qu'il ne pourrait pas se servir de son nom pour la promotion. L'affaire semblait close.

Or, environ six mois plus tard, j'ai reçu un exemplaire de l'édition étrangère et, sur la couverture, j'ai découvert, à ma grande surprise, l'ancienne citation du Dr Dyer ! En dépit de mes instructions, l'éditeur étranger l'avait appliquée à mon nouveau livre ! J'étais furieux et inquiet des possibles conséquences juridiques. J'ai aussitôt appelé mon agent littéraire, qui a contacté l'éditeur indélicat pour exiger que les livres soient retirés de la vente.

De mon côté, je décidai d'écrire un mot d'excuse au Dr Dyer, pour lui exposer la situation et lui expliquer ce qui était entrepris pour y remédier. J'ai passé plusieurs semaines à attendre sa réaction. Puis, un beau jour, j'ai reçu une lettre qui disait : « Mon cher Richard, il y a deux règles pour vivre en paix. 1) Ne pas faire une montagne d'une taupinière. 2) Il n'y a que des taupinières... Laisse donc la citation. Amitiés, Wayne. »

Et voilà ! Ni sermon, ni menaces, ni rancune. Malgré l'utilisation peu orthodoxe de son nom et de sa renommée, le Dr Dyer a réagi avec élégance et modestie. C'est un bon exemple de ce que la tradition bouddhiste nomme « se laisser porter par le flot de la vie ».

Depuis plus de dix ans, je m'efforce de guider les gens qui viennent me consulter dans cette direction. Ensemble, nous traitons toutes sortes de problèmes – le stress, les conflits relationnels ou professionnels, les dépendances aux drogues, etc.

Ce livre rassemble des « stratégies » très précises que vous pouvez mettre en œuvre dès aujourd'hui et qui vous aideront à mieux répondre aux défis de la vie. Les techniques que j'ai sélectionnées ici sont celles qui, au fil des ans, ont donné les meilleurs résultats auprès de mes patients. Elles illustrent aussi la façon dont je gère ma propre existence : un *chemin de moindre résistance*. Chacune de ces stratégies est aussi simple qu'efficace : elles formeront la boussole qui vous mènera vers une vie plus calme, plus épanouie. Vous constaterez alors que ces conseils ne s'appliquent pas seulement à de petits problèmes isolés mais aussi aux épreuves les plus difficiles auxquelles chaque individu doit faire face.

Quand vous aurez appris à vous simplifier la vie, celle-ci ne sera pas parfaite pour autant, mais elle aura peut-être davantage à vous offrir. Ainsi que l'enseigne la philosophie zen : lorsque nous choisissons de « lâcher prise » au lieu de résister de toutes nos forces, la vie se met à couler sans heurts. Un jour, vous serez capable, comme le suggère la célèbre formule, de « changer ce qui peut l'être, d'accepter l'inéluctable et de savoir reconnaître la différence entre les deux ». Si vous mettez ces stratégies en pratique, vous apprendrez les deux règles de base de l'harmonie : 1) Ne pas faire une montagne d'une taupinière. 2) Il n'y a que des taupinières. En faisant vôtres ces principes, vous vous forgerez un moi serein et porteur d'amour.

1

Ne vous noyez pas dans un verre d'eau

Nous nous mettons souvent en colère pour des choses qui, tout bien considéré, n'en valent pas la peine. Nous focalisons sur des problèmes insignifiants, nous les examinons par le petit bout de la lorgnette et leur conférons des proportions exagérées. Une voiture se rabat un peu brutalement devant nous ? Plutôt que de la laisser filer et de penser à autre chose, nous nous croyons en droit de fulminer. Nous instruisons le procès du coupable. Certains iront même jusqu'à raconter l'incident dans toutes ses largeurs à leurs collègues de bureau.

Pourquoi ne pas laisser ce chauffard rouler vers le platane qui l'attend ? Essayez d'éprouver un peu de compassion à son égard. Rappelez-vous comme il est pénible d'être pressé. En réagissant de la sorte, nous pouvons conserver notre quiétude et éviter de nous coltiner inutilement les problèmes d'autrui.

Chaque jour, il nous arrive des « bricoles » de cette nature. Nous avons fait une queue interminable à la poste, notre patron nous a sonné les cloches, nous avons dû assurer le travail d'un collègue, etc. Vous gagnerez vite au change si vous apprenez à ne pas vous faire de cheveux blancs pour ce genre de peccadilles. Certains passent tellement de temps à se « compliquer la vie » qu'ils perdent complètement de vue la beauté et la magie de ce monde.

Quand vous serez décidé à ne plus vous noyer dans un verre de vulgaires péripéties, vous libérerez une énergie considérable, à mettre au service de buts plus élevés.

2

Réconciliez-vous avec l'imperfection

Je n'ai encore jamais rencontré de perfectionniste heureux. Perfection et paix intérieure sont deux quêtes résolument conflictuelles. Vouloir en permanence et à tout prix améliorer les choses, c'est s'engager dans une guerre perdue d'avance. Au lieu de nous contenter de ce que nous avons, et d'en remercier le ciel, nous devenons obsédés par le « truc qui cloche » et par notre désir irrépressible d'y remédier. Autant dire que nous nous condamnons à l'insatisfaction perpétuelle...

Il peut s'agir de nos propres « fautes » (un placard en désordre, une éraflure sur la carrosserie de la voiture, un travail jugé insuffisant, quelques kilos à perdre) comme de celles du voisin (sa façon de s'habiller, de se comporter, de mener sa vie). Dans un cas comme dans l'autre, dès lors que nous fixons notre attention sur les carences, nous nous éloignons de notre objectif réel – douceur et sérénité. La stratégie que je propose ici ne vous demande pas de renoncer à donner le meilleur de vous-même ; elle vous exhorte à faire taire cette obsession maladive pour tous ces détails qui vont de travers dans votre vie. Il y a certainement des améliorations à apporter ici ou là, mais ces insuffisances ne doivent pas vous empêcher d'apprécier les choses telles qu'elles sont.

Guettez ces moments où vous cédez à votre démon familier. La tache sur la nappe vous ennuie ? Pensez au plaisir du repas et du partage. Votre fille a eu une mauvaise note en mathématiques ? Sa moyenne générale est plus qu'honorable. Rappelez-vous que la vie est très bien comme elle est. Et si ce n'était votre regard critique, tout irait même pour le mieux...

Ne vous inquiétez pas, je n'exige de vous aucun sacrifice. Car vous serez largement gagnant. À mesure que vous chasserez de votre existence ce perfectionnisme oppressant, vous vous ouvrirez à la véritable perfection de la vie.

3

Oubliez l'idée reçue selon laquelle les « stressés » sont des « gagnants »

Pourquoi nous obstinons-nous à vivre dans l'urgence ? Pourquoi cédons-nous si facilement à l'esprit de compétition ? Par peur, tout simplement. Nous craignons, en optant pour d'autres valeurs – le calme et la douceur –, de ne plus pouvoir réaliser nos ambitions. Si nous ne sommes plus « sous pression », ne risquons-nous pas de sombrer dans la paresse et l'apathie ?

Je vous rassure, cette crainte n'a aucun fondement. C'est même l'inverse qui prévaut : l'angoisse et le stress consomment notre énergie, épuisent notre motivation et tarissent notre créativité. En proie à la panique, vous vous privez d'une bonne partie de votre potentiel – sans parler de votre bien-être. Sachez une fois pour toutes que les succès se remportent malgré la peur, jamais grâce à elle.

Dans ma vie de tous les jours, j'ai eu l'heureuse idée et la chance de m'entourer de personnes qui sont aussi calmes que disponibles. Certaines sont écrivains, parents, psychologues, informaticiens, secrétaires de direction, etc. Toutes sont appliquées à leurs tâches et d'une remarquable efficacité dans leurs domaines respectifs.

À leur contact, j'ai appris une leçon capitale : quand on obtient ce qu'on veut (la paix intérieure), on est moins distrait par ses désirs comme par ses angoisses. Il devient alors plus facile de se concentrer, d'atteindre ses objectifs et de se mettre à l'écoute des autres.

4

Attention à l'effet « boule de neige »

R ien de tel, pour se calmer, que de prendre conscience de la rapidité avec laquelle vos pensées négatives peuvent s'emballer. Avez-vous remarqué que vous êtes souvent tendu lorsque vous réfléchissez ? Le comble, c'est que plus vous examinez ce qui vous turlupine, plus vous vous mettez en rogne. Et de fil en aiguille, vous vous transformez en véritable pelote de nerfs.

Vous vous réveillez par exemple au beau milieu de la nuit et vous vous souvenez d'un appel que vous devez passer dans la matinée. Au lieu de vous rendormir soulagé de ne pas avoir oublié ce coup de fil important, vous passez en revue tout le programme de la journée à venir. Vous répétez mentalement une conversation délicate avec votre patron, ce qui a pour effet de vous agiter encore plus. Bref, vous ne tardez pas à vous exclamer :

— Je suis complètement débordé ! Cinquante dossiers par jour, ce n'est pas une vie...

Et vous finissez immanquablement par vous apitoyer sur votre sort. Ce type d'« attaque mentale » n'a pratiquement pas de limite dans le temps. Des patients m'ont dit consacrer une bonne partie de leur nuit et de leur journée à ce genre de ressassements stériles. Est-il besoin de le préciser ? Impossible de se sentir en harmonie avec soi-même lorsqu'on a la tête pleine de soucis.

Comment s'en sortir ? Guettez ce qui se passe dans votre esprit avant même que vous vous mettiez à « travailler des méninges ». Plus vite vous vous surprendrez à grossir cette « boule de neige » psychologique, plus il vous sera facile de l'arrêter dans sa course. Dans l'exemple que j'ai évoqué, le dérapage a lieu à l'instant où vous commencez à dresser la liste de vos obligations du lendemain. Plutôt que de vous laisser envahir par la journée qui s'annonce, dites-vous : « Voilà que je recommence... » et étouffez aussitôt ces pensées dans l'œuf. Arrêtez ce flot avant qu'il ait eu le temps de prendre de l'ampleur. Ne vous axez plus sur la masse de travail qui vous attend, mais sur la chance que vous avez eue de vous rappeler ce coup de fil important. Si c'est vraiment au milieu de la nuit, écrivez une note sur un bout de papier et retournez vous coucher. Au cas où ces crises d'insomnie deviendraient régulières, vous pouvez même garder un calepin et un stylo à portée de main sur votre table de chevet.

Je ne veux en aucun cas sous-estimer vos responsabilités. Vous êtes sans doute une personne très occupée, qui doit faire face à de multiples et incessantes sollicitations. Mais persuadez-vous d'une chose : vous bourrer le crâne de complaintes sur votre surmenage ne résoudra rien. Bien au contraire, vous ne ferez qu'aggraver le problème. Vous allez vous stresser plus que vous ne l'êtes déjà !

Essayez mon conseil tout simple la prochaine fois que des obligations professionnelles vous obséderont au point de vous réveiller la nuit. Son efficacité est garantie.

5

Développez votre compassion

Rien ne nous aide autant à relativiser les choses que le fait d'accroître notre compassion à l'égard des autres. J'entends par compassion un sentiment de « sympathie », au sens étymologique d'une « communauté d'impressions » pouvant aller jusqu'à une « participation à la souffrance d'autrui ». Témoigner de la compassion, c'est ne plus regarder son nombril, c'est se glisser dans les chaussures de son prochain pour imaginer ce qu'il éprouve et, dans le même mouvement, ressentir de l'amour pour lui. C'est aussi reconnaître que les problèmes, la douleur ou la colère des autres sont aussi valides et réels que les nôtres – et souvent beaucoup plus graves ! En prenant conscience de cela, et en essayant d'offrir notre aide, nous ouvrons notre cœur et nous accroissons notre gratitude envers l'existence.

La compassion est un sentiment que l'on peut développer avec un peu de pratique. Il comprend deux volets : l'intention et l'action. L'intention, ce n'est rien d'autre qu'une mise à disposition, un élargissement du champ de vos préoccupations. Vous ne vous souciez plus seulement de votre sort, mais de celui de votre entourage. Et l'action, c'est tout ce que vous allez entreprendre pour leur venir en aide. Vous pouvez donner régulièrement un peu de temps ou d'argent à une cause qui vous est chère. Ou bien vous pouvez simplement échanger un sourire ou un salut fraternel avec les gens que vous croisez dans la rue. L'important, ce n'est pas tant ce que vous faites, que de faire quelque chose, n'importe quoi, mais toujours avec amour.

La compassion accroît aussi notre sentiment de gratitude. En prenant conscience des vraies douleurs qui nous côtoient, nous détournons notre attention de ces petits ennuis que nous avons trop tendance à grossir.

Quand vous songez au miracle de la vie, au don de la vue – ne serait-ce que le fait de pouvoir lire ce livre –, à l'intelligence, à la capacité d'aimer, etc., vous comprenez mieux que nos prétendues « tuiles » ne sont que de vulgaires « pépins » et que nous sommes nous-mêmes coupables de cette absurde inflation.

6

N'oubliez pas que, le jour de votre mort, votre agenda sera plein

Nous sommes nombreux à vivre comme si le secret d'une existence réussie consistait à abattre le plus de besogne possible. Couchés tard et levés tôt, nous nous interdisons toute distraction, et nous négligeons les êtres que nous aimons. Certains – j'en ai connu – poussent si loin l'aveuglement que leurs conjoints finissent par faire leur valise...

Je sais ce qu'il en coûte d'être un bourreau de travail. Je suis passé par là. Souvent, nous essayons de nous persuader que notre obsession pour les « dossiers à traiter » est temporaire : lorsque nous serons au bout de la pile, nous pourrons nous détendre, être enfin heureux. Mais précisément, on n'en voit jamais le bout ! À mesure que ces dossiers sont réglés, d'autres viennent aussitôt les remplacer dans la corbeille des « affaires courantes ».

Par définition, cette corbeille ne doit jamais être vide. Il y aura toujours des coups de fil à passer, des rendez-vous à prendre et des projets à suivre. Après tout, un agenda bien rempli est synonyme de succès : cela prouve que vous êtes très demandé !

Toutefois, qui que vous soyez et quelle que soit votre profession, n'oubliez jamais que *rien* n'est plus important dans la vie que votre bonheur et celui de vos proches. Si vous ne pensez qu'à boucler toujours plus de travail, vous ne connaîtrez jamais le bien-être ! Pratiquement tous nos prétendus « coups de feu » sont des pétards mouillés. Ils peuvent bien attendre. Au fond, il y a très peu de dossiers qui tombent dans la catégorie « très urgent ». Si vous restez bien concentré sur votre travail, il sera fini en temps voulu.

Le plus souvent possible, j'essaie de me rappeler que le but de la vie n'est pas de « charger le mulet » mais de savourer chaque instant et de vivre une existence pleine d'amour. Il me devient plus facile alors de contrôler ma tendance au surmenage. N'oubliez jamais une chose : à votre mort, il y aura encore des tas de rendez-vous sur votre agenda et des tonnes de travail à finir. Et vous voulez que je vous dise ? Quelqu'un d'autre s'en chargera à votre place. Alors prenez le temps de vivre !

7

N'interrompez pas vos interlocuteurs, ne finissez pas leurs phrases

I l y a quelques années, je me suis aperçu que j'interrompais souvent mes interlocuteurs ou que je finissais leurs phrases à leur place. Je me suis aussi rendu compte que c'était là une habitude très néfaste : d'abord parce que mon impolitesse me coûtait le respect et l'affection des autres, et surtout parce que je dépensais une énorme quantité d'énergie à vouloir me glisser dans deux têtes à la fois ! Car il s'agit bien de cela. Quand vous voulez presser quelqu'un de finir sa phrase, vous devez non seulement garder le fil de vos pensées mais anticiper le raisonnement de votre vis-à-vis. Cette acrobatie mentale (très courante chez les accros du surmenage) encourage les deux parties à accélérer leur débit de parole et de pensée. Ce qui les rend bientôt aussi nerveuses et agacées l'une que l'autre. Sans compter que c'est un exercice épuisant ! Ces « bâtons rompus » sont à l'origine de nombreuses disputes, parce que s'il y a une chose que nous détestons tous, c'est bien un interlocuteur qui n'écoute pas ce qu'on lui dit. Car comment peut-on écouter le discours de quelqu'un quand on ne pense qu'à lui couper la parole ?

Cette fâcheuse tendance à interrompre les autres peut devenir une habitude « innocente », en ce sens qu'elle vous est désormais imperceptible. C'est plutôt une bonne nouvelle car il vous suffira, pour vous en corriger, de vous taper sur les doigts chaque fois que vous vous prendrez en flagrant délit. Exhortez-vous à la patience (si possible avant même d'engager la conversation). Astreignez-vous à laisser votre interlocuteur terminer sa phrase avant de prendre la parole. Vos relations avec votre entourage s'en trouveront améliorées. Les personnes avec lesquelles vous communiquez seront plus à l'aise en votre compagnie dès lors qu'elles se sentiront écoutées et entendues. De votre côté, vous constaterez que vous êtes plus détendu : vous vous enfoncez confortablement dans votre fauteuil, votre pouls se ralentit, vous prenez plus de plaisir à la discussion depuis que vous la laissez aller à son train, sans chercher à l'emballer. Le bonheur, c'est aussi l'art de converser.

8

Rendez service à quelqu'un, et n'en parlez à *personne* !

Il nous arrive souvent d'avoir une attention gentille pour telle ou telle personne. Parfois même nous lui donnons un vrai coup de main. Mais nous n'omettons presque jamais de mentionner à un tiers nos bonnes actions, pour lesquelles nous espérons secrètement une reconnaissance quasi éternelle.

Pourquoi cette propension à faire étalage de notre bon cœur ? Principalement parce que cela flatte notre orgueil. Nous offrons le visage d'une personne serviable, à l'âme charitable. N'est-ce pas assez démontrer que nous sommes un « chic type » ou une « femme bien », et donc forcément dignes d'éloges ?

Tous les actes de générosité sont en eux-mêmes louables. Mais il s'opère une sorte de petit miracle lorsque vous accomplissez une bonne action sans en parler à personne, jamais. On se sent toujours bien quand on donne. Plutôt que de diluer et de gâter ces sentiments positifs en divulguant votre acte à la ronde, gardez-en tout le bénéfice en le tenant secret.

Tant il est vrai qu'on doit donner *gratuitement,* et non dans l'espoir d'être payé de retour. C'est ce que vous faites quand vous taisez un geste louable : votre récompense est le sentiment chaleureux qui accompagne le don. La prochaine fois que vous ferez une faveur ou un cadeau à quelqu'un, suivez mon conseil : n'en parlez à personne et savourez pleinement la joie d'avoir donné.

9

Laissez le mérite aux autres

Il se produit un phénomène merveilleux dans votre esprit – une sensation de calme ineffable vous envahit – lorsque vous renoncez à accaparer toute l'attention pour laisser aux autres le devant de la scène.

Notre appétit de gloire vient de cet égocentrisme qui nous souffle en permanence à l'oreille :

— Regardez-moi ! Mon histoire est plus intéressante que la vôtre !

Cette voix intérieure ne s'exprime pas toujours haut et fort, mais son moteur est simple : elle veut se persuader que « tout ce qui me concerne vaut mieux que ce qui concerne les autres ». L'ego est cet aspect de notre personnalité qui demande à être vu, entendu, respecté, souvent aux dépens de notre entourage. C'est cette partie de nous-mêmes qui n'hésite pas à interrompre notre interlocuteur, ou qui attend impatiemment son tour de parole afin de ramener au plus vite la conversation sur son nombril. À des degrés différents, nous avons tous ce mauvais penchant. Et nous l'exerçons à notre détriment ! Car en ramenant sans cesse la conversation à nos préoccupations personnelles, nous diminuons la joie que notre vis-à-vis éprouve à partager une idée, une anecdote, une impression. Ce faisant, nous instaurons une distance entre lui et nous. Et au bout du compte, tout le monde est perdant.

La prochaine fois qu'une personne vous racontera une soirée, un voyage ou un projet, surveillez vos réactions : n'avez-vous pas tendance à parler de vous dans votre réponse ? N'essayez-vous pas subrepticement de lui confisquer les feux de la rampe ?

C'est là une habitude difficile à rompre. Mais c'est aussi un vrai plaisir que de s'effacer pour laisser un autre jouir de la lumière des projecteurs. Au lieu d'arriver avec vos gros sabots (« Tiens, c'est comme moi... » ou « Devine ce que j'ai fait aujourd'hui... »), retenez-vous. Mordez-vous la langue. Ou bien dites : « C'est merveilleux », « Raconte-moi tout... ». Le plaisir de votre interlocuteur en sera décuplé. Vous sentant présent, attentif, il n'aura pas l'impression d'entrer en compétition avec vous. Il se détendra, appréciera mieux votre compagnie, parlera en confiance et n'en sera que plus intéressant ! De votre côté, vous serez plus à votre aise car vous ne serez pas crispé sur le bord de votre chaise, prêt à lui voler la vedette au premier baissement de ton.

Il y a bien sûr des occasions où il vous est tout à fait légitime de partager l'attention plutôt que de la céder tout entière : idéalement, il doit s'instaurer un jeu de va-et-vient, comme entre deux acteurs qui se donnent la réplique et dont on applaudit tour à tour les tirades. Vous n'êtes pas obligé de vous cantonner éternellement dans le rôle du faire-valoir. Ici comme ailleurs, l'alternance est un principe sain et normal. Ce contre quoi je m'insurge, c'est le besoin compulsif de « faire de l'ombre » aux autres. De façon presque paradoxale, plus vous y renoncerez, et plus votre appétit de gloire sera remplacé par un sentiment de satisfaction et de confiance intérieure.

10

Apprenez à vivre l'instant présent

Notre calme intérieur est déterminé dans une grande mesure par notre aptitude à vivre l'instant présent. Ignorant ce qui s'est passé hier comme ce qui peut arriver demain, le présent est le seul moment dans lequel vous êtes plongé... vingt-quatre heures sur vingt-quatre !

Nombreux sont ceux qui excellent dans cet art névrotique consistant à passer le plus clair de leur existence à ruminer toutes sortes de tracas – passés ou à venir. En somme, nous laissons gâcher notre vie « présente » par de vieilles casseroles ou par des intuitions de chiromancienne. Et nous finissons logiquement angoissés, frustrés et déprimés. Trouvant toujours une bonne excuse pour différer les « petites satisfactions », nous renvoyons à plus tard notre bonheur et nos priorités déclarées. « Ça ira mieux demain », lançons-nous pour nous consoler. Malheureusement, ce schéma mental qui nous incite à regarder en direction de l'avenir va se répéter à l'infini, de sorte que ce jour béni n'arrive jamais. John Lennon l'avait bien compris : « La vie est ce qui s'écoule pendant que nous perdons notre temps à faire des projets. » Cependant, en effet, nos enfants grandissent sans que nous nous en apercevions, les êtres chers s'éloignent et meurent, nos corps se dégradent et nos rêves s'enfuient. Nous sommes passés à côté de l'essentiel...

Beaucoup vivent leur existence comme s'il s'agissait d'une répétition costumée avant la grande première. Ils se trompent : personne n'a la certitude d'être encore sur terre demain matin. Le « présent », voilà le seul temps sur lequel nous ayons quelque contrôle. Quand notre attention est fixée sur ce présent, nous chassons aussitôt la peur de nos esprits, cette peur à l'égard d'événements qui peuvent survenir demain – nous allons manquer d'argent, nos enfants vont faire de grosses bêtises, nous allons vieillir et mourir, etc.

Pour lutter contre la peur, la meilleure stratégie consiste donc à ramener votre attention sur le présent. Avec son humour habituel, Mark Twain disait : « J'ai connu des moments terribles dans ma vie, dont certains se sont vraiment produits. » Donc n'anticipons pas au point de nous angoisser. Entraînez-vous à rester concentré sur l'« ici et maintenant ». Ces efforts seront largement récompensés.

11

Imaginez que tout le monde est « éclairé », sauf vous

Cette stratégie va vous donner l'occasion de pratiquer une simulation qui vous paraîtra d'abord parfaitement inacceptable. Pourtant, si vous acceptez de jouer le jeu, vous découvrirez un exercice très utile à votre épanouissement personnel.

Imaginez que les personnes autour de vous – amies ou inconnues – soient des sages parfaits. Le monde est peuplé de bienheureux, d'êtres réalisés (appelez-les comme vous voulez) – sauf vous ! Et tous ont quelque chose à vous apprendre. Le pignouf dans sa camionnette garée en double file est là pour vous enseigner la patience, le punk à crête d'Iroquois vous rappelle qu'on ne doit jamais juger sur les apparences...

Votre travail consiste à découvrir la leçon que chacune de ces personnes essaie de vous transmettre. De cette façon, vous vous sentirez de moins en moins agacé par son comportement ou par ses défauts. Prenez l'habitude d'aborder la vie ainsi. Vous ne le regretterez pas. Au moment où vous devinez ce que telle ou telle personne veut vous inculquer, votre colère à son égard s'envole comme par enchantement. Supposons, par exemple, que vous soyez à la poste et que le préposé prenne un malin plaisir à dispenser ses services à la vitesse d'un escargot. Plutôt que de rouspéter, posez-vous la question : « Qu'es-saie-t-il de m'enseigner ? » Peut-être vous demande-t-il de faire preuve de plus de compassion : avez-vous jamais mesuré combien il est difficile d'exercer un travail qui vous rebute ? À moins que ce fonctionnaire ne vous incite à mieux tenir la bride à vos passions : faire la queue n'est-il pas une excellente occasion de refréner votre impatience ?

Vous serez surpris de voir à quel point ce petit jeu peut devenir facile et amusant. Il suffit de modifier votre perception ; passez de la colère hargneuse (« Pourquoi me font-ils subir ça ? ») à la curiosité philosophique (« Qu'essaient-ils de m'apprendre ? »). Souvenez-vous : le monde autour de vous est peuplé de sages...

12

Laissez les autres avoir raison

Un jour ou l'autre, vous serez amené à vous poser cette question déterminante : « Est-ce que je préfère avoir raison ou être heureux ? » Question capitale car les deux options sont le plus souvent antinomiques !

Défendre bec et ongles nos positions, voilà qui, d'une part, exige une énorme quantité d'énergie psychique et qui, d'autre part, est susceptible de nous brouiller avec nos meilleurs amis. Ce besoin d'avoir toujours raison – ou de donner tort aux autres ! – place aussitôt nos interlocuteurs sur la défensive. C'est une sommation à la reddition sans condition. Bref, quasiment une déclaration de guerre.

Malheureusement, le fait est là : beaucoup d'entre nous (moi le premier) gaspillons un temps et une énergie considérables à prouver au monde que notre opinion est la bonne et que celle des autres ne vaut rien. Certains, consciemment ou non, considèrent qu'il est de leur devoir de montrer aux « brebis égarées » combien elles pataugent dans l'erreur. Et ils s'imaginent même qu'on va leur en témoigner de la reconnaissance. Faux sur toute la ligne !

Songez-y. Vous est-il déjà arrivé, face à une personne qui venait de vous mettre le nez sur une de vos propres bourdes, de lui répondre : « Ah, merci infiniment de me montrer que je suis un crétin et que vous êtes génial. Maintenant tout s'éclaire. Vous êtes vraiment formidable ! » ?

Est-ce qu'une fois seulement quelqu'un s'est confondu en remerciements après que vous l'avez repris, ou que vous avez imposé votre « raison » à la sienne ? Jamais, bien sûr. La vérité, c'est que nous détestons être corrigés. Nous voulons tous que nos idées soient respectées et comprises. Être entendus, voilà un de nos désirs les plus profonds. Nous apprécions ceux qui font preuve de tolérance ou qui savent nous écouter, mais ceux qui se posent en « redresseurs de torts » finissent par nous importuner.

Il vous est parfaitement légitime d'éprouver le désir sincère d'avoir raison. Il peut y avoir un certain nombre de positions philosophiques ou morales dont vous ne voulez pas démordre. Par exemple, vous êtes indigné dès qu'on prononce un commentaire raciste en votre présence. Dans cette situation, il faut que vous puissiez vous exprimer en toute franchise. Toutefois, dans notre désir d'avoir raison, c'est souvent notre seul ego qui parle, qui la « ramène », et qui gâte par son intrusion une conversation jusque-là paisible.

La stratégie consiste ici à laisser aux autres la joie d'avoir raison. Oui, laissez-leur ce plaisir ! Arrêtez de les reprendre à tout bout de champ ! C'est une habitude dont on se défait difficilement, mais cela mérite tous vos efforts. Quand quelqu'un commence une phrase en disant : « L'important, à mon avis, c'est de… », au lieu de lui sauter à la gorge en répliquant : « Non, à *mon* avis, il est bien plus important de… » (ou toute autre forme de censure verbale), ne le contredisez pas. Votre entourage sera moins sur la défensive et n'en deviendra que plus affectueux à votre égard. De votre côté, vous découvrirez la joie de participer au bonheur d'autrui, ce qui est tout de même plus gratifiant qu'un duel d'egos.

Sans sacrifier vos convictions profondes, morales ou philosophiques, laissez les autres avoir raison la plupart du temps. Commencez aujourd'hui !

13

Soyez plus patient

La patience est une vertu qui vous rapprochera de votre but : construire un moi fondé sur l'amour et la sérénité. Plus vous serez patient, plus vous accepterez la vie telle qu'elle est, au lieu de vous épuiser à attendre qu'elle soit enfin à l'image de vos rêves. Sans une bonne dose d'endurance, l'existence devient vite synonyme de frustration permanente. Vous avez les nerfs à fleur de peau, le moindre incident vous horripile. Parce qu'elle ajoute équilibre et mansuétude à votre vie, la patience est essentielle à votre paix intérieure.

Pour acquérir cette vertu, vous devez ouvrir votre cœur au moment présent, même lorsqu'il vous paraît désagréable. Vous êtes pris dans un embouteillage, en retard à un rendez-vous ? Surveillez votre « boule de neige » mentale avant qu'elle ne prenne des proportions incontrôlables. Détendez-vous. C'est peut-être l'occasion ou jamais de vous livrer à un exercice de respiration. Mais surtout, rappelez-vous que, tout bien pesé et considéré, arriver en retard à un rendez-vous n'est pas la fin du monde...

La patience consiste aussi à « voir l'innocence » chez les autres. J'ai deux filles de quatre et sept ans. Très souvent, pendant l'écriture de ce livre, la cadette a surgi dans mon bureau, interrompant mon travail et le fil ténu de mon inspiration. J'ai appris (bien que ce ne soit pas toujours facile) à reconnaître la parfaite candeur de son comportement, au lieu de me braquer sur les éventuelles conséquences de ses interruptions (« Je ne vais pas terminer mon chapitre, je vais perdre le fil de mes pensées, je n'aurai pas le temps de m'y remettre aujourd'hui », etc.). Je me concentre donc sur la raison de sa venue : elle vient me voir parce qu'elle m'aime, et non parce qu'elle cherche à saboter mon travail. Chaque fois que j'aborde la situation de cette façon, je sens naître en moi un sentiment de patience. Mon attention est rappelée vers l'instant présent, l'irritation qui aurait pu sourdre est étouffée. Il ne me reste plus que le bonheur, dont je me réjouis pour la millionième fois, d'avoir d'aussi beaux enfants...

En cherchant bien, on peut presque toujours, même dans les situations a priori les plus exaspérantes, déceler l'innocence chez les autres. Plus vous aurez de pratique dans cet exercice, plus vous deviendrez patient et serein. Vous finirez même par apprécier des moments qui auparavant vous faisaient sortir de vos gonds.

14

Inventez-vous des « cours de patience »

L a patience, vraie qualité du cœur, peut être considérablement développée par une pratique volontaire. Un bon stratagème consiste à se ménager de véritables périodes d'entraînement – périodes dont vous fixez vous-même la durée. La vie devient alors une salle de classe où l'on enseigne la patience.

Vous pouvez débuter par un cours de cinq minutes – que vous allongerez progressivement. Commencez par vous dire : « Pendant les cinq minutes qui viennent, rien ne pourra me déranger, je resterai d'un flegme à toute épreuve. » Vous allez faire une découverte formidable : le seul fait d'exprimer votre *intention*, surtout pour un intervalle aussi restreint, accroît immédiatement votre *capacité* à la patience. Nous avons affaire à un des rares cas où le succès se nourrit de lui-même. Dès que vous aurez atteint des objectifs modestes – cinq minutes de contrôle –, vous constaterez que vous êtes parfaitement capable de vous montrer patient sur des périodes plus longues. Et vous pourrez peut-être un jour revendiquer cette vertu comme partie intégrante de votre caractère.

Avec des enfants en bas âge à la maison, j'ai des milliers d'occasions de pratiquer l'art de la patience ! Par exemple, lorsque mes deux filles me bombardent de questions saugrenues alors que j'essaie de passer des coups de fil professionnels, je me dis, plutôt que d'exploser : « Voilà le moment idéal pour me mettre à l'épreuve. Pendant la prochaine demi-heure, je vais être complètement zen... » (Et voilà, j'ai bien travaillé : j'ai tenu trente minutes montre en main.) Plaisanterie à part, cette technique fonctionne... et elle a un impact sur toute la famille ! Lorsque je garde mon sang-froid, je peux contenir les caprices de mes enfants avec calme et fermeté, donc de manière beaucoup plus efficace que si je « pétais les plombs ». En mettant mon esprit en position « patience », je reste dans le moment présent. Alors qu'en cédant à la colère, je ravive des griefs plus anciens et j'ai tôt fait de crier à la persécution ! Qui plus est, mon calme s'avère souvent communicatif : il se transmet à mes filles. De leur propre chef, elles décident qu'il y a tout de même des choses beaucoup plus amusantes à faire que de déranger leur papa !

La patience me permet de garder de la hauteur. Même aux prises avec une situation délicate, je me rappelle que ce nouveau défi n'est pas une « question de vie ou de mort », mais un problème mineur qui doit comporter une solution. Si vous avez la tête trop près du bonnet, la même situation peut tourner à la crise majeure, synonyme de violence verbale, de sentiments froissés et de tension élevée. Croyez-moi, ça n'en vaut pas la peine ! Quel que soit le problème (les enfants, votre patron, une mauvaise passe ou un raseur quelconque), si vous voulez vraiment vous simplifier la vie, commencez par vous exercer à la patience.

15

Soyez le premier à tendre la main

Nous avons tous plus ou moins tendance à nous cramponner à des rancœurs mesquines, nées d'une dispute, d'un malentendu ou d'un événement ancien et douloureux. Butés comme nous le sommes, nous attendons que l'« autre » fasse le premier pas, seul moyen à nos yeux d'ouvrir la porte au pardon et de renouer une amitié ou un lien familial.

Une amie, récemment éprouvée par de graves problèmes de santé, me confiait qu'elle n'avait plus parlé à son fils depuis trois ans.

— Pour quel motif ? lui ai-je demandé.

Elle m'apprit qu'ils s'étaient disputés à propos de sa belle-fille. Et elle refusait mordicus de lui parler – à moins qu'il ne prenne l'initiative d'appeler. Quand je lui ai suggéré de décrocher son téléphone la première, elle a commencé par résister :

— Jamais de la vie. C'est à lui de s'excuser.

Elle préférait littéralement mourir sur place plutôt que de contacter son fils. Avec un peu de persuasion de ma part, elle a toutefois accepté de se jeter à l'eau. À sa grande stupeur, son fils a paru très heureux de son appel et lui a même présenté des excuses spontanées. L'un comme l'autre ne pouvaient que se féliciter de cette démarche – comme c'est souvent le cas lorsque quelqu'un fait le premier pas.

Chaque fois que nous nous accrochons à nos ressentiments, nous transformons des « taupinières » en « montagnes ». Nous nous mettons en tête que notre « fierté » passe avant notre bonheur. C'est faux. Et si vous voulez avancer vers la paix intérieure, vous devez réaliser qu'avoir raison n'est jamais (ou presque jamais) plus important que le bien-être. La meilleure manière d'être heureux, c'est donc de renoncer à ses rancunes et prendre l'initiative. Tout se passera bien. Vous ferez l'expérience du soulagement apporté par le « lâcher prise ». Vous partagerez la joie de ceux à qui vous donnez raison. Vous les trouverez moins agressifs, plus ouverts. Peut-être saisiront-ils la main que vous leur tendez. Mais si, pour une raison ou une autre, ils s'en abstiennent, ce n'est pas grave : il vous restera la satisfaction d'avoir contribué à rendre ce monde plus doux. Dans tous les cas, vous serez en paix avec vous-même.

16

Demandez-vous toujours : « Quelle importance cela aura-t-il dans un an ? »

Presque tous les jours, je me livre à un petit jeu que j'appelle le « saut temporel » ou la « machine à avancer le temps ». Je l'ai inventé en réponse à une idée fausse mais accrochée à mon esprit comme une moule à son rocher : l'idée selon laquelle tous mes problèmes sont gravissimes.

Pour jouer au « saut temporel », il vous suffit de vous transporter par la pensée dans l'avenir. Vous n'êtes plus dans le pétrin, la tête dans le sac, mais un an plus tard. Posez-vous alors la question : « La situation est-elle aussi critique que je le prétends ? » Il peut arriver – exceptionnellement – que la réponse soit « oui ». Mais dans la majorité des cas, c'est « non ».

Vous avez eu une scène de ménage ? Un accrochage avec vos enfants ? Votre patron vous a remonté les bretelles ? Vous vous êtes foulé la cheville ? Vous avez essuyé une déception d'ordre professionnel, ou bien perdu votre portefeuille ? Il y a de fortes chances pour que, dans un an, ce soit le cadet de vos soucis. Une circonstance insignifiante à l'échelle de votre existence. Une affaire classée.

Ce petit jeu ne prétend évidemment pas résoudre toutes vos difficultés. Il peut cependant vous aider à relativiser bon nombre de vos problèmes. Je me surprends à rire aujourd'hui de choses que je prenais hier beaucoup trop au sérieux. Plutôt que de dépenser mon énergie en stress ou en agressivité, je peux la mettre à profit avec ma femme et mes enfants ou bien la mobiliser pour une réflexion fructueuse.

17

Faites-vous une fois pour toutes à l'idée que la vie est injuste

Au cours d'une conversation sur les aléas de la vie, une amie m'a posé la question suivante :
    – Qui a prétendu que la vie était juste, ou même qu'elle devrait l'être ?

Bonne question qui m'a rappelé une vieille maxime mille fois entendue dans mon enfance : « La vie est pavée d'injustices. » C'est sans doute un lieu commun, mais d'une implacable vérité. La prise de conscience de cette réalité devrait nous affliger. De façon paradoxale, elle peut devenir source de libération.

Nous commettons souvent l'erreur de nous apitoyer sur notre sort ou sur celui des autres en pensant que la vie *devrait* être plus juste ou qu'elle le sera un jour. C'est une dangereuse chimère. Quand nous lui cédons, nous avons tôt fait de nous lamenter sur tout ce qui va de travers dans notre existence. Nous nous complaisons dans de vains débats sur l'iniquité de ce monde. « C'est vraiment trop injuste », nous exclamons-nous, sans nous rendre compte du caractère aberrant et irrecevable d'une telle récrimination.

Au contraire, en acceptant l'injustice de la vie, nous cessons aussitôt de pleurnicher pour essayer de « faire au mieux » avec ce que nous avons sous la main. Ce monde ne prétend pas à la perfection. C'est à nous de l'en approcher, en relevant les défis qu'il nous présente. Accepter cette vérité, c'est aussi cesser de gémir sur le sort des autres : nous réalisons que chacun, à la naissance, reçoit des cartes différentes, que nous avons tous des atouts, des faiblesses et des épreuves. J'ai puisé là un soutien extraordinaire de nombreuses fois : quand j'étais confronté aux difficultés liées à l'éducation de mes deux enfants ; chaque fois que je devais prendre une décision pénible (« qui aider et qui ne pas aider ») ; ou bien encore lorsque je me débattais avec mes conflits personnels, à une époque où je me sentais incompris ou persécuté. Dans tous les cas, j'avais l'impression de m'éveiller à la réalité et d'être remis dans le droit chemin.

Le fait que la vie soit injuste ne signifie pas pour autant que nous devions renoncer à faire tout ce qui est en notre pouvoir pour améliorer notre existence ou la planète tout entière. Bien au contraire ! Quand nous refusons de reconnaître l'iniquité de la vie, nous sommes tentés, je l'ai dit, de nous apitoyer sur nous-mêmes ou sur les autres, Or la pitié est une émotion qui n'apporte jamais rien de bon à personne, et qui aurait plutôt tendance à « enfoncer » ceux à qui elle s'adresse. Quand nous acceptons l'injustice de la vie, en revanche, nous éprouvons de la *compassion* pour les autres comme pour nous-mêmes. Et la compassion est un sentiment sincère qui met du baume au cœur de tous ceux qu'elle touche.

Essayez de vous en souvenir la prochaine fois que vous vous surprendrez à méditer sur les injustices du monde. Vous serez surpris de constater que cette approche nouvelle vous sortira de votre apitoiement stérile pour vous inciter à agir.

18
Ennuyez-vous !

Nos vies débordent tellement d'activités, voire de responsabilités, qu'il nous est presque impossible de rester un moment assis à ne rien faire (et encore moins de nous détendre). L'autre jour, un ami me faisait cette réflexion :

— Nous ne sommes plus des êtres humains ; on devrait nous appeler des « faire » humains.

J'ai découvert les vertus de l'ennui alors que j'étudiais auprès d'un thérapeute à La Conner, une bourgade paisible, trop paisible, de l'État de Washington. À la fin de notre première journée ensemble, j'ai demandé à mon professeur « ce qu'il y avait à faire dans ce patelin le soir ». Il m'a répondu :

— Si vous voulez suivre mon conseil, ennuyez-vous. Ne faites rien : ça fait partie de votre formation.

J'ai d'abord cru qu'il plaisantait !

— Pourquoi devrais-je choisir de m'ennuyer ?

— Si vous vous abandonnez à l'ennui, ne serait-ce que pendant une heure ou deux, sans résister, vous verrez qu'il cédera bientôt la place à un sentiment de paix. Et avec un peu d'entraînement, vous apprendrez à vous détendre.

À ma grande surprise, il avait raison. Au début, j'ai eu du mal à supporter cette inactivité totale. J'étais tellement habitué à occuper la moindre fraction de mon temps que j'ai dû me faire violence pour me tourner les pouces. Mais peu à peu j'ai appris à y prendre plaisir. Il ne s'agit pas de tirer sa flemme, mais simplement d'apprendre à se détendre, d'*être* plutôt que de *faire* pendant quelques minutes par jour.

Il n'y a pas d'autre technique pour parvenir à ce relâchement total que de ne rien faire – en pleine conscience. Asseyez-vous sans bouger. Vous pouvez par exemple regarder par la fenêtre, en restant attentif à vos pensées et à ce que vous ressentez. Au début, cet exercice risque de vous rendre un peu nerveux, mais il vous deviendra chaque jour plus facile. Et bénéfique !

Une grande part de notre angoisse et de nos conflits intérieurs provient du fait que nos esprits surchauffés ont constamment besoin de grain à moudre. Nous n'avons qu'une question en tête : « Quelle est la suite du programme ? » Pendant que nous mangeons le plat principal, nous salivons déjà sur le dessert. Quand nous passons au dessert, nous nous demandons ce que nous allons faire en sortant de table. Et la soirée terminée, un seul souci : « Où va-t-on aller ce week-end ? » Quand on revient de balade, on a tout de suite le réflexe d'allumer la télévision, de décrocher le téléphone ou de faire le ménage. Comme si l'idée de n'avoir rien à faire – ne serait-ce qu'une minute – nous effrayait.

L'oisiveté occasionnelle vous apprend à clarifier votre esprit. Pendant une courte période, elle lui offre le luxe de ne « rien savoir ». Comme votre corps, votre cerveau a besoin de repos dans sa routine de forçat. Quand vous lui accordez ce répit, il revient plus affûté et plus créatif.

S'autoriser l'ennui, c'est se soulager de cette pression qui nous oblige à être toujours performants et productifs. Aujourd'hui, lorsqu'une de mes deux filles me dit : « Papa, je ne sais pas quoi faire », je lui réponds : « Alors ne fais rien pendant un moment, tu verras, c'est excellent. » Et elle abandonne tout de suite l'espoir que je vais remédier à son problème...

Vous ne vous attendiez certainement pas à ce qu'on vous recommande la valeur thérapeutique de l'ennui. Eh bien, il y a un début à tout !

19

Abaissez votre seuil de tolérance au stress

Notre société marche sur la tête ! Nous éprouvons de la considération pour ceux qui savent travailler sous des tonnes de pression. Quand quelqu'un nous annonce « je bosse comme un malade » ou « je suis surbooké », nous sommes conditionnés à admirer et à copier son comportement. Dans mon cabinet, j'entends presque chaque jour ces mots énoncés avec fierté : « Je suis capable de tolérer de fortes doses de stress. » Et quand ces patients viennent me consulter pour la première fois, ils attendent de moi des stratégies pour *accroître* leur résistance au stress, afin de redonner un coup de collier !

Heureusement, notre environnement émotionnel est organisé selon une loi intransgressible que l'on peut édicter ainsi : *notre niveau actuel de stress correspond exactement à notre seuil de tolérance au stress.* Regardez autour de vous : ceux qui vous disent « je sais gérer un gros stress » sont toujours des gens placés sous une pression importante ! Si on leur prodigue des conseils pour renforcer leur résistance, ils les mettront aussitôt en application : ils encaisseront plus de responsabilités, jusqu'à ce que leur niveau de stress atteigne leur nouveau seuil de tolérance...

En général, seule une vraie crise peut ouvrir les yeux de ces accros au labeur : leur femme les quitte, ils ont un gros pépin de santé, ou bien ils se découvrent dépendants d'une drogue quelconque. Un jour ou l'autre, quelque chose les incite à chercher une stratégie plus viable.

Mais c'est là toute l'aberration du système : si vous vous inscrivez à ces pseudothérapies censées vous apprendre à gérer les crises, on vous enseignera curieusement à *augmenter* votre résistance au stress. À croire que même les consultants en la matière sont stressés !

Pour commencer, vous devez prendre conscience de votre stress *avant* qu'il devienne intolérable. Quand vous sentez que votre esprit court plusieurs lièvres à la fois, c'est qu'il est temps de prendre un peu de recul et de faire le point. Lorsque vous croulez sous votre ordre du jour, mieux vaut réévaluer vos priorités plutôt que de mettre les bouchées doubles. Si vous sentez que vous perdez pied, si vous vous plaignez d'une surcharge de travail, plutôt que de retrousser vos manches et d'y aller au forceps, détendez-vous, respirez un bon coup et allez vous promener ! Si vous repérez votre stress suffisamment tôt – avant qu'il échappe à tout contrôle –, il sera à l'image de la boule de neige proverbiale qui dévale une pente : petite, elle peut être maîtrisée ; quand elle a pris du poids et de l'élan, il devient difficile, sinon impossible, d'empêcher l'avalanche.

Surtout ne vous inquiétez pas : vous arriverez quand même à boucler tout ce que vous aviez à faire ! Quand votre esprit sera calme et la pression réduite, vous serez plus efficace et vous prendrez plus de plaisir au travail. Plus vous abaisserez votre seuil de tolérance au stress... et moins vous en subirez. Il vous viendra alors des idées brillantes pour gérer le peu de stress qui vous reste !

20

Une fois par semaine, écrivez une lettre du fond du cœur

Cet exercice a contribué à transformer la vie de nombreuses personnes. Quelques petites minutes par semaine consacrées à écrire un mot affectueux peuvent avoir sur vous de grands effets bénéfiques. Le temps de prendre du papier et votre plus belle plume (ou de pianoter sur un clavier), et déjà vous voyez défiler devant vos yeux toutes ces personnes merveilleuses qui ont éclairé et continuent d'éclairer votre vie. Le seul fait de vous asseoir pour leur écrire suffit à vous remplir l'esprit de gratitude.

Lorsque vous serez décidé à tenter l'expérience, vous n'aurez que l'embarras du choix pour votre premier destinataire. Les noms vont surgir dans votre esprit. Un patient m'a dit un jour :

— Je n'ai sans doute pas assez de semaines à vivre pour écrire à tous les gens de ma liste.

Je suis prêt à parier qu'il y a autour de vous, ou dans votre passé, un certain nombre d'amis qui mériteraient un mot gentil de votre part. Et quand bien même vous n'auriez personne, alors écrivez à un inconnu – peut-être à un auteur que vous admirez, même s'il n'est plus de ce monde. Ou à un grand penseur, ancien ou contemporain. L'intérêt de cette lettre consiste d'abord à axer votre esprit vers la gratitude : ce qui compte avant tout, c'est donc de la rédiger, même si elle ne devait jamais être adressée.

Cette lettre vous donne l'occasion d'exprimer de l'amour et de la reconnaissance. Ne vous inquiétez pas si les mots ne viennent pas facilement sous votre plume. Ce n'est pas un concours de poésie ni de rhétorique, mais un élan du cœur. Si vous n'avez pas grand-chose à dire, alors commencez par de petits messages du genre : « Chère Juliette, en me réveillant ce matin, je me suis dit que j'avais vraiment beaucoup de chance de te connaître. Merci de tout cœur d'être mon amie. Je te souhaite tout le bonheur et la joie du monde. Je t'embrasse très fort, Richard. »

Cet exercice canalise votre attention sur les aspects positifs de votre existence. Par ailleurs, le destinataire sera, selon toute vraisemblance, touché par votre geste. Qui sait ? Il va peut-être reprendre contact avec un ami perdu de vue ou faire une bonne action. C'est ma définition de la théorie des dominos : un acte généreux en entraîne un autre...

Écrivez votre première lettre cette semaine. Vous ne le regretterez pas.

21

Imaginez vos propres funérailles

C ette stratégie pourra paraître un peu effrayante aux yeux de certains. Pourtant, je vous garantis qu'il n'y a rien de tel pour trier le bon grain de l'ivraie, distinguer ce qui compte vraiment dans notre existence et ce qui relève du superflu ou du néfaste.

Quand, arrivés en bout de course, nous jetterons un coup d'œil par-dessus notre épaule pour contempler le chemin parcouru, quel jugement porterons-nous sur notre vie et sur notre façon de la gérer ? Sur leur lit d'agonie, la plupart des gens regrettent d'avoir mal défini leurs priorités. À quelques exceptions près, ils auraient voulu gaspiller moins de temps à des « broutilles » pour profiter davantage de leurs proches. Ils auraient voulu s'adonner plus souvent à leurs passions et consacrer moins de temps à se tracasser pour des aspects de la vie qui, tout bien considéré, n'étaient pas si importants qu'ils le paraissaient. Malheureusement, il est trop tard...

En vous imaginant à vos propres funérailles, vous allez pouvoir contempler votre vie à un moment où vous avez encore le loisir de faire des changements importants.

Cela peut vous sembler douloureux ou traumatisant, mais c'est une bonne idée de porter un regard sur votre mort et, partant, sur votre existence. Cela vous rafraîchira l'esprit : vous vous rappellerez le genre de personne que vous vouliez être et les objectifs que vous vous étiez fixés. Si j'en juge par ma propre expérience, vous éprouverez alors une sorte d'électrochoc qui sera un excellent aiguillon pour vous remettre sur le bon chemin.

22

Répétez-vous souvent : « La vie n'est pas une course contre la montre »

C ette technique pourrait résumer à elle seule le message central de mon livre. Beaucoup ont du mal à s'en persuader et c'est pourtant la stricte vérité : la vie n'est pas une course de vitesse !

Combien passent leur temps à galoper comme des zèbres ? Par centaines, j'ai vu des patients délaisser dans la bousculade leur famille et leurs rêves. Ils justifient leur comportement névrotique en prétextant que s'ils ne travaillent pas quatre-vingts heures par semaine, ils n'arriveront pas au bout de tout ce qu'ils ont à faire. Je leur rappelle que rien ne sert de courir : malgré tous leurs efforts, ils laisseront à leur mort une pile de « dossiers en souffrance » sur leur bureau !

Une patiente – femme au foyer, mère de trois enfants – me disait récemment :

— Je n'arrive pas a nettoyer la maison à fond avant que tout le monde parte le matin.

Elle en était si perturbée que son médecin avait dû lui prescrire des anxiolytiques. On aurait dit qu'elle avait un pistolet braqué sur sa tempe et que le tueur exigeait que chaque torchon soit plié, chaque assiette rangée à sa place – sinon il menaçait de lui faire sauter la cervelle ! Là encore, on reconnaît le postulat tacite : « C'est la course ! » En fait, ma patiente avait seule créé la pression qui la tourmentait.

Je n'ai jamais rencontré personne – moi compris – qui n'ait jamais donné l'impression de se noyer dans un verre d'eau. Nous prenons nos objectifs tellement au sérieux que nous en oublions toute distance salutaire ! De simples préférences sont élevées au rang de nécessités dont dépendrait notre existence.

Nous sommes mortifiés si nous ne parvenons pas à respecter des dates limites que nous avons nous-mêmes fixées !

Le premier pas pour regagner un peu de sérénité, c'est d'avoir l'humilité de reconnaître que, dans la plupart des cas, nous créons nos propres urgences. Le monde va continuer à tourner même si les choses ne se déroulent pas exactement comme nous l'avions prévu... Répétez-vous souvent, jusqu'à vous en convaincre, la phrase : « La vie n'est pas une course contre la montre. »

23

Laissez mijoter à feu doux

C e que j'appelle la « cuisson à feu doux » constitue un excellent outil pour pallier un trou de mémoire ou pour faire jaillir une idée. Cette technique presque sans effort et pourtant très efficace vous permet de mobiliser tranquillement votre cerveau au moment même où vous menacez de céder au stress. Vous allez laisser votre mental résoudre un problème pendant que vous serez occupé à faire autre chose, dans l'instant présent.

Ce « feu doux » psychique fonctionne comme celui d'une cuisinière. Vous avez jeté les différents ingrédients dans la casserole, vous les avez mélangés. La chaleur va les faire frémir, lier la sauce et mitonner un plat savoureux. Et moins vous mettrez votre nez sous le couvercle, meilleur ce sera.

De la même façon, nous pouvons résoudre bien des soucis (sérieux ou pas) en enfournant dans un coin de notre cerveau un certain nombre de faits, de paramètres et de solutions possibles. Nous allons cogiter sans nous en rendre compte, les idées vont germer et mûrir patiemment.

Vous avez une difficulté à résoudre ? Ou bien un nom sur le bout de la langue que vous n'arrivez pas à vous rappeler ? Votre « feu doux » est toujours disponible. Il convoque l'« arrière-ban » de votre intellect et le fait plancher sur des problèmes qui n'offraient pas de solution immédiate. Attention toutefois ! Cette méthode ne doit pas devenir un moyen déguisé de remettre au lendemain ce qu'on peut faire le jour même. En d'autres termes, réduisez la cuisson, mais surtout ne coupez pas le gaz ! Cette technique simple vous aidera à sauter de nombreux obstacles et diminuera d'autant votre stress et vos migraines.

24

Trouvez chaque jour quelqu'un à remercier

C e truc tout simple, qui ne demande qu'une poignée de secondes, est une habitude que j'ai adoptée depuis longtemps. J'essaie toujours de commencer la journée en pensant à quelqu'un à remercier. À mes yeux, gratitude et paix intérieure forment un couple inséparable. Plus j'ai de reconnaissance pour le don de ma vie, plus je me sens en harmonie avec moi-même.

Vous avez probablement, comme tout le monde, un certain nombre de personnes pour lesquelles vous éprouvez un sentiment de reconnaissance : des amis, des membres de votre famille, des professeurs, des maîtres à penser, des collègues de bureau, tous ceux qui vous ont donné un coup de main. Vous voulez peut-être aussi rendre grâce à Dieu ou à la puissance supérieure qui vous a fait naître et jouir de la beauté du monde.

Quand vous cherchez quelqu'un à remercier, rappelez-vous que cela peut être n'importe qui – cet automobiliste qui vous a laissé déboîter à une intersection, cet homme qui vous a tenu la porte, ou le chirurgien qui vous a sauvé la vie. Le principe est d'orienter votre attention vers la gratitude – de préférence au saut du lit.

J'ai appris voilà longtemps déjà qu'il n'est pas besoin de pousser mon esprit bien fort pour le voir glisser sur des pentes négatives. La première chose qui m'abandonne dans ces cas-là, c'est mon sens de la gratitude. Je deviens aveugle à tout ce que les gens de mon entourage peuvent m'apporter, et l'amour que j'ai pour eux se transforme en ressentiment. Savoir gré à quelqu'un est un bon moyen pour se concentrer sur le positif. Dès que je pense à une personne à qui je suis redevable, l'image d'un second individu surgit dans mon esprit, puis un autre encore, et ainsi de suite. Bientôt, ma reconnaissance s'élargit à d'autres domaines : ma santé, mes enfants, ma maison, ma carrière, mes lecteurs, ma liberté, etc.

Cela peut vous paraître une suggestion bien simple, mais elle accomplit des merveilles ! Si vous ouvrez les yeux le matin un remerciement à la bouche, il vous sera difficile, voire pratiquement impossible, de vous lever du pied gauche.

25

Souriez à un inconnu et dites-lui bonjour en le regardant dans les yeux

Avez-vous jamais remarqué que nous croisons assez rarement le regard d'inconnus ? Pourquoi cette manie de l'esquive ? Par peur ? Qu'est-ce qui nous empêche de nous ouvrir davantage à des gens que nous ne connaissons pas ?

Je ne connais pas précisément les réponses à ces questions, mais je sais en revanche qu'il y a presque toujours un parallèle entre notre attitude envers les inconnus et notre niveau général de bonheur. En d'autres termes, vous aurez du mal à trouver une seule personne qui marche le nez collé sur le trottoir, les sourcils froncés, et qui soit en secret un bienheureux rayonnant de joie de vivre !

Je ne prétends pas qu'il soit préférable d'être expansif plutôt qu'introverti, ni que vous deviez vous mettre en quatre pour égayer la journée des passants. Inutile aussi de jouer la comédie de la familiarité. En revanche, si vous considérez les inconnus comme vos semblables, si vous les traitez non pas seulement avec courtoisie mais avec chaleur (sourire, contact oculaire), vous remarquerez probablement des changements agréables. Tout d'abord, vous constaterez que les gens ne sont finalement pas différents de vous – la plupart ont une famille, des amis, des ennuis, des soucis, des passions, des dégoûts, des peurs, etc. Vous remarquerez aussi qu'ils sont avenants et cordiaux quand vous faites le premier pas. Vous serez alors capables de « voir l'innocence » en chacun : certes nous commettons tous des erreurs, mais la plupart d'entre nous font du mieux qu'ils peuvent, dans les circonstances présentes. Lorsqu'on parvient à cette compréhension de la fraternité, on éprouve un profond sentiment de paix intérieure.

26

Ménagez-vous chaque jour
une plage de tranquillité

Au moment où j'écris ce chapitre, il est exactement 4 h 30 du matin. Mon heure préférée. Je dispose d'au moins une heure et demie avant que ma femme et mes enfants se lèvent et que le téléphone se mette à sonner. Avant qu'on me demande de faire quoi que ce soit... La rue est parfaitement silencieuse, je suis plongé dans une solitude complète. Il y a quelque chose d'à la fois apaisant et revigorant dans le fait d'avoir du temps à soi pour réfléchir, travailler ou simplement savourer le calme.

Voilà plus de dix ans que je me spécialise dans l'étude du stress et de ses remèdes. J'ai rencontré des êtres extraordinaires. Parmi ceux que je considère comme « en paix avec eux-mêmes », je n'en connais pas un seul qui ne se ménage pas une ou plusieurs plages de tranquillité, de façon presque quotidienne. Dix minutes de méditation ou de yoga, une promenade au grand air, un bon bain... À vous de choisir. Mais sachez que ces moments de solitude constituent une partie essentielle de votre existence. Ils vous aident à contrebalancer le bruit et l'agitation qui forment notre lot quotidien. Chaque fois que je parviens à m'isoler un instant, la journée entière me paraît plus facile à gérer.

Depuis quelques années, je me livre à un petit rituel dont j'ai confié la recette à de nombreux amis. Comme vous peut-être, je me rends en voiture à mon bureau tous les jours de la semaine. Sur le chemin du retour, à deux pâtés de maisons de chez moi, je m'arrête sur le bas-côté et je coupe le moteur. Il y a un endroit agréable où je peux passer une minute ou deux à admirer la vue ou à respirer, les yeux fermés. Cela ralentit mon rythme nerveux et m'aide à me recentrer. J'ai conseillé cet exercice à des dizaines de personnes qui se plaignaient de n'avoir « jamais une minute de libre ». Elles arrivaient dans leur garage la radio à plein volume, la tête farcie de tous les soucis accumulés pendant la journée. Désormais, par la grâce d'un changement minime dans leurs habitudes, elles rentrent chez elles plus détendues et de bien meilleure humeur.

27

Imaginez vos proches sous les traits d'un nourrisson ou d'un centenaire

J'ai appris cette technique il y a presque vingt ans. Elle s'est avérée très efficace pour supprimer l'exaspération que je peux ressentir à l'égard des autres.

Pensez à quelqu'un qui vous tape vraiment sur les nerfs. Maintenant, fermez les yeux et essayez de vous représenter cette personne sous les traits d'un nourrisson. Imaginez ses joues rebondies, ses petits yeux innocents et son sourire radieux. Rappelez-vous que les enfants commettent obligatoirement des erreurs et que nous sommes tous passés par là...

À présent, transportez-vous cent ans plus tard. Visualisez la même personne sous les traits d'un vieillard sur son lit de mort. Regardez ces yeux vitreux et ce sourire pâle, empreint de sagesse et de mansuétude pour les erreurs passées. Souvenez-vous que nous aurons tous cent ans – morts ou vifs : c'est l'affaire de quelques décennies...

Vous pouvez modifier cette technique à votre gré, lui inventer des variantes. Elle vous fournira presque toujours le recul nécessaire et fera naître en vous un sentiment de compassion. Puisque notre but est de gagner en amour et en égalité d'âme, pourquoi nous encombrer l'esprit de sentiments négatifs à l'égard des autres ?

28

Cherchez d'abord à comprendre

C ette stratégie est un moyen sûr et rapide de rendre plus satisfaisants vos contacts avec autrui. C'est même une condition *sine qua non*.

En une phrase, il s'agit de chercher à comprendre les autres plutôt que d'exiger qu'ils vous comprennent. Sans cette priorité, il ne peut s'établir de communication de qualité, enrichissante pour tous. Quand vous aurez pris en compte le *background* de votre interlocuteur, le message qu'il essaie de vous transmettre, les valeurs qui importent à ses yeux, etc., vous n'aurez aucun mal à *vous* faire comprendre : cela se mettra en place naturellement, presque sans effort, comme une conséquence logique. En revanche, si vous inversez le processus (et c'est malheureusement ainsi que nous procédons la plupart du temps), vous mettez la charrue avant les bœufs. En effet, exiger d'être compris avant même de comprendre, c'est exercer une forme de pression sur la conversation. Pression qui sera ressentie par vous et par la personne que vous essayez d'atteindre. Entamée sur de mauvaises bases, la communication a de fortes chances de tourner à une bataille d'egos.

J'ai eu l'occasion de travailler avec un couple qui avait passé les dix premières années de son mariage à se disputer, notamment pour des questions d'argent. Le mari ne comprenait pas pourquoi sa femme mettait tant d'empressement à économiser le moindre sou, et elle, de son côté, l'accusait de jeter l'argent par les fenêtres. Tout élément rationnel appartenant à l'une ou l'autre position avait disparu depuis longtemps de leur relation, noyé dans leur rancœur commune. Les deux époux se sentaient incompris. Pourtant la solution était relativement simple. Ils n'avaient besoin que de s'écouter mutuellement. Plutôt que de se retrancher derrière leurs barricades, ils devaient d'abord chercher à comprendre. C'est précisément ce que je les ai amenés à faire. Le mari a donc découvert que sa femme épargnait sou à sou pour éviter les ennuis pécuniaires qu'avaient connus ses parents. Elle avait une peur panique de la ruine. De son côté, elle a réalisé qu'il se sentait gêné de ne pouvoir lui assurer un train de vie équivalent à celui de ses parents. Il aurait aimé « prendre soin d'elle » comme son père autrefois s'occupait de sa mère. Au fond, il voulait simplement que sa femme soit fière de lui. À mesure qu'ils pénétraient leurs motivations profondes, leur colère s'est muée en compassion. Aujourd'hui, ils ont appris à équilibrer dépenses et économies.

Chercher à comprendre n'a rien à voir avec déterminer « qui a tort et qui a raison » : c'est une véritable philosophie de la communication efficace. En adoptant cette méthode, vous remarquerez que vos interlocuteurs se sentent écoutés, donc entendus et finalement compris. Et cela se traduira nécessairement par une amélioration de vos relations.

29

Apprenez à écouter

J'ai cru longtemps que je savais écouter. Pourtant, et malgré tous les progrès que j'ai pu accomplir dans ce domaine au cours des dix dernières années, je dois admettre que je mérite à peine la mention *passable*.

Savoir écouter ne signifie pas simplement renoncer à cette habitude détestable qui consiste à toujours interrompre les autres. C'est aussi prendre plaisir à absorber la pensée d'un interlocuteur, *dans son intégralité*, plutôt que de trépigner dans l'attente de son tour de parole.

D'une certaine façon, notre incapacité à écouter est symptomatique de la vie moderne. Nous traitons la communication comme s'il s'agissait d'une course de vitesse. Tout se passe comme si nous avions pour seul objectif de supprimer le moindre intervalle entre la conclusion d'une phrase et la suivante. Ma femme et moi déjeunions récemment dans un restaurant, et nous avons prêté l'oreille aux conversations autour de nous. Il nous est vite apparu que personne n'écoutait vraiment personne ! Au mieux, chacun prenait son mal en patience en attendant de pouvoir enfin en « caser une ». J'ai demandé à ma femme si j'agissais de la même façon. Avec un sourire gracieux, elle m'a répondu :

— Seulement de temps en temps, chéri...

Commencez par ralentir le rythme de vos réponses. Vous serez moins sous pression. Car on dépense une énergie folle assis sur le bord de sa chaise à essayer de deviner ce que va dire la personne en face de vous (ou au bout du fil), afin de lancer la contre-attaque. En revanche, lorsque vous attendrez qu'elle ait fini, lorsque vous l'écouterez attentivement, vous constaterez que la tension est bien moindre. Vous vous sentirez plus décontracté, et votre interlocuteur aussi, par ricochet.

Il baissera la garde et diminuera le débit de son discours, ne se sentant plus en compétition serrée pour le « temps de parole » ! Non seulement vous deviendrez plus patient, mais vos relations avec les autres gagneront en qualité. Qui n'apprécie de bavarder avec quelqu'un qui sait vraiment écouter ?

30

Choisissez bien vos croisades

À chaque coin de rue ou presque, la vie nous offre une nouvelle occasion de choisir entre en « faire tout un fromage » ou bien « laisser tomber » (parce que cela n'a aucune importance). Si vous renoncez aux croisades inutiles, vous serez beaucoup plus vaillant pour remporter celles qui comptent vraiment !

Bien sûr, à l'occasion, vous aurez envie ou besoin de tiquer, de vous récrier ou même de ruer dans les brancards pour défendre vos positions. Mais trop de gens tiquent, se récrient ou ruent dans les brancards pour des détails insignifiants ! Vaut-il vraiment la peine de transformer son existence en un champ de bataille permanent pour du menu fretin ? C'est courir le risque d'accumuler les rancœurs et de perdre de vue l'essentiel.

Le plus petit contretemps prend fatalement les proportions d'une catastrophe pour peu que vous vous soyez mis en tête (consciemment ou pas) que tout devait marcher sur des roulettes et selon vos désirs. S'enfermer dans un tel schéma mental, c'est s'infliger une ordonnance pour le malheur et l'insatisfaction.

La vie est rarement telle qu'on la voudrait. Et les gens ne réagissent pas souvent comme on le souhaiterait. Il y a des tas de choses sur cette terre que nous aimons et d'autres qui nous rebutent ou nous chagrinent. Il y aura toujours des mauvais coucheurs pour vous mettre des bâtons dans les roues et des lacets qui craqueront au mauvais moment. Si vous avez l'intention de lutter contre ce principe même de la vie, vous risquez de passer toute votre existence les armes à la main !

Mieux vaut décider tout de suite quelles batailles valent la peine d'être livrées et quels combats ne justifient pas le déclenchement des hostilités. Si votre but dans l'existence n'est pas la perfection absolue mais une vie relativement dépourvue de stress, vous vous apercevrez que la plupart des conflits vous *éloignent* de votre aspiration au calme. Est-il donc si important de prouver à votre épouse que vous avez raison et qu'elle a tort ? De vous fâcher avec quelqu'un parce qu'il a commis une simple boulette ? Est-ce que le choix du restaurant ou du film de ce soir vaut une dispute ? Une égratignure sur votre voiture est-elle un *casus belli* digne d'une action en justice ? Le fait que le voisin refuse obstinément de garer sa voiture ailleurs que sous vos fenêtres mérite-t-il de devenir un sujet de débat à l'heure de vos repas de famille ? Et pourtant, voilà le genre de guerres que certains d'entre nous livrent à longueur d'existence !

Et vous ? Comment choisissez-vous vos croisades ? Dressez-en la liste. Si elle ressemble à la mienne il y a quelques années, vous avez peut-être besoin de reclasser vos priorités...

Pour se simplifier la vie, il convient d'éviter les déclarations de guerre intempestives. Un beau jour, vous découvrirez avec surprise que vous ne ressentez presque plus jamais le besoin de vous battre...

31

Surveillez vos sautes d'humeur et ne vous laissez pas abuser par vos coups de cafard

Vos sautes d'humeur peuvent se montrer extrêmement trompeuses. Elles sont capables de vous persuader que votre existence est plus noire qu'en réalité. Quand vous êtes de bonne humeur, le soleil brille. Vous avez de la hauteur, du bon sens et de la sagesse. Les problèmes paraissent moins effrayants et donc plus faciles à résoudre. Les rapports avec votre entourage sont harmonieux, la communication s'opère sans heurts. Et si d'aventure on vous adresse une critique, vous l'enjambez avec l'aisance d'un sauteur de haies.

Quand vous êtes de mauvaise humeur, la vie vous semble au contraire un fardeau insupportable. Vous êtes dans les ténèbres. Vous devenez susceptible, vous interprétez de travers les faits et gestes de votre entourage, que vous supposez animé des pires intentions.

Pourquoi cette énorme différence ? Simplement parce que les gens ne se rendent pas compte qu'ils sont le jouet de leurs humeurs. Ils s'imaginent que leur vie a basculé en un jour, voire en une heure. Jean-qui-rit le matin pourra aimer sa femme, son travail ou sa voiture, aborder l'avenir avec optimisme et le passé avec le sentiment du devoir accompli ; Jean-qui-pleure le soir prétendra détester son travail, verra sa femme comme un boulet, sa voiture comme une poubelle, et sa carrière dans une impasse. Et si vous l'interrogez sur son enfance, il vous répondra sans doute qu'elle fut un long calvaire. Il s'en prendra même à ses parents pour expliquer sa misère actuelle.

De tels revirements peuvent paraître absurdes, voire cocasses. Et pourtant nous en sommes tous victimes, à des degrés différents. Gagnés par la déprime, nous perdons tout recul. Nous oublions qu'une heure plus tôt, ou une semaine auparavant, lorsque nous étions joyeux, tout semblait nous sourire. Nous abordons des expériences *identiques* – la relation à notre conjoint, notre travail, la voiture que nous conduisons, notre potentiel, notre enfance – de façon radicalement différente, au gré de notre humeur ! Quand nous sommes au « trente-sixième dessous », plutôt que de mettre nos angoisses sur le compte de cet état psychologique, nous avons tendance à croire que notre vie va soudain à vau-l'eau. Tout se passe comme si nous étions réellement persuadés que le monde vient de s'écrouler autour de nous en l'espace de deux heures.

Or la vie n'est presque *jamais* aussi sinistre qu'elle le paraît lorsque nous broyons du noir. Plutôt que de vous enfermer dans cette grisaille, en étant persuadé de porter un regard objectif sur votre existence, apprenez à mettre en doute votre jugement. Dites-vous : « Oui, je suis en colère, angoissé, démoralisé. J'ai toujours une attitude négative dans ces cas-là. » Quand vous avez le cafard, apprenez à n'y voir que cela : une phase inéluctable de la condition humaine, qui passera avec le temps, pour peu que vous ne lui donniez pas trop de grain à moudre. Surtout ne choisissez pas ce moment d'abattement pour vous lancer dans l'examen critique de votre vie ! Ce serait un suicide émotionnel. Si vous avez un vrai problème, il sera encore là quand vous aurez repris du poil de la bête, et il sera temps de vous en occuper.

Ne prenez pas trop au sérieux vos baisses de régime. La prochaine fois que vous n'aurez pas le moral, dites-vous : « Ça va passer. » Car ça va passer...

32

Sachez que la vie n'est qu'un test, rien d'autre

J e me souviens d'avoir lu, dans les toilettes d'un aéroport, cette phrase griffonnée sur le mur : « La vie est un test, rien d'autre. Si c'était pour de vrai, on vous aurait déjà dit où aller et pour quoi faire. » Ce petit bijou de sagesse humoristique me rappelle qu'il ne faut pas prendre la vie trop au sérieux.

Quand vous regardez les défis de l'existence comme de simples tests, chaque problème posé devient une occasion d'apprendre, même si c'est parfois « à la dure ». Que vous soyez bombardé de responsabilités ou de difficultés apparemment insurmontables, dès que vous les considérez comme des tests, vous vous ménagez une chance de réussir, de relever les défis proposés à votre sagacité. Si, par opposition, chaque nouveau problème est à vos yeux un combat épique dont dépend votre survie, vous vous préparez à subir un fort tangage. Vous ne serez heureux que lorsque tout ira parfaitement bien. Et nous savons bien que cela n'arrive pas très souvent...

Faites l'expérience. Essayez d'appliquer cette idée au prochain obstacle qui se présente. Vous avez peut-être un enfant rebelle ou un patron exigeant. Transformez ce « problème » en « test ». Plutôt que d'y sacrifier vos forces, tâchez de voir s'il n'y a pas quelque enseignement à en retirer. Demandez-vous : « Pourquoi cette question a-t-elle surgi dans ma vie ? Que faudrait-il faire pour la résoudre ? Est-ce que je peux l'aborder différemment ? Comme une sorte d'épreuve ? »

Vous risquez d'être surpris par les changements qui vont s'opérer. Par exemple, il fut une époque où je me plaignais sans arrêt de ne pas avoir assez de temps. Je courais après mon agenda. Je m'en prenais aux embouteillages, à mes collègues de travail, à ma famille, bref à tout ce qui me tombait sous la main. Puis j'ai enfin réalisé. Pour être heureux, je ne devais pas nécessairement organiser ma vie de façon parfaite, pour gagner toujours plus de temps, mais plutôt reconnaître enfin que rien ne m'obligeait à viser la perfection ! En d'autres termes, mon vrai travail consistait à voir ma lutte comme un test. Cela m'a aidé à gérer mes plus grandes frustrations. J'ai encore parfois un peu de mal avec ma perception du manque de temps, mais moins qu'auparavant. J'accepte de mieux en mieux la vie telle qu'elle est.

33

Acceptez les reproches
comme les compliments

Une leçon inévitable de la vie consiste à faire face à la désapprobation d'autrui. Nous connaissons le vieux cliché selon lequel chaque médaille à son revers. C'est un fait : on ne peut pas plaire à tout le monde tout le temps. Même lorsqu'un candidat remporte une élection avec cinquante-cinq pour cent des voix, il reste toujours quarante-cinq pour cent de votants qui souhaitaient la victoire de son adversaire. Voilà qui devrait inciter à la modestie...

Notre taux de satisfaction auprès de notre famille, de nos amis et de nos collègues de travail serait-il plus élevé ? Pas sûr. Chacun juge la vie et les comportements à sa façon : nos critères ne correspondent pas toujours – ils correspondent même rarement – à ceux de nos voisins. Curieusement, la plupart d'entre nous refusent cette évidence. Nous nous sentons blessés ou offusqués quand quelqu'un désapprouve nos idées.

Plus vite nous nous résignerons à l'impossibilité de satisfaire tout le monde, plus vite nous nous simplifierons la vie. Quand vous aurez appris à essuyer les reproches sans regimber, vous aurez fait un grand pas vers la sagesse. Plutôt que de vous sentir rejeté à la moindre remontrance, dites-vous : « Et voilà que ça recommence. Bon, OK ! » Vous en ressentirez d'autant plus de joie et de reconnaissance lorsque vous recevrez l'approbation espérée.

Il m'arrive très souvent de faire l'expérience, dans la même journée, de la louange et du blâme. Une association m'engage pour une conférence, une autre me refuse ; un coup de fil m'apporte une bonne nouvelle, le suivant un problème à gérer. Ma fille cadette apprécie mon attitude, l'aînée m'en fait grief.

Un ami me dit que je suis un chic type, un autre m'accuse d'égoïsme parce que je ne lui ai pas donné signe de vie. Ce mouvement pendulaire, de la caresse au coup de cravache, de la flatterie au reproche, fait partie de notre vie à tous. Je suis le premier à reconnaître que je préfère recevoir des fleurs plutôt que des œufs pourris. C'est tellement plus agréable ! Mais plus j'accepte la critique et moins je dépends des éloges pour me sentir heureux.

34

Pratiquez la générosité spontanée

Sur l'arrière de mon véhicule, j'ai apposé un autocollant qui fait fureur : « Pratiquez la générosité spontanée. » Je ne sais pas qui en a eu l'idée le premier mais je n'ai jamais vu de message plus essentiel sur la vitre arrière des voitures. Accomplir un acte de générosité gratuit, comme ça, au petit bonheur la chance... Quel meilleur moyen d'éprouver la joie de donner sans rien attendre en retour ! Et c'est encore mieux, nous l'avons déjà dit, si vous ne mentionnez votre geste à personne.

Il existe cinq ponts à péage dans la baie de San Francisco. Il y a quelque temps, des automobilistes se sont mis à payer pour la voiture qui les suivait. Le chauffeur se présentait à la guérite, tendait son billet d'un dollar et s'entendait dire par le préposé :

— Pas la peine. Votre péage a été réglé par la voiture devant vous.

Voilà un exemple de don spontané, sans aucune exigence de retour. Imaginez l'impact de ce geste minuscule sur le chauffeur de la voiture ! Peut-être s'est-il senti encouragé à se montrer plus généreux ce jour-là. Car une bonne action en entraîne d'autres.

La générosité gratuite n'obéit à aucune règle. Ou plutôt si, à une seule : elle doit jaillir du cœur. Vous pouvez ramasser les papiers gras dans votre quartier, faire une contribution anonyme à une œuvre de charité, envoyer une petite enveloppe pour soulager une personne en détresse, sauver un animal en le conduisant dans un foyer d'hébergement ou vous porter volontaire pour servir la soupe populaire. Vous aurez peut-être envie de faire tout cela, et même davantage. L'important, c'est que donner soit un plaisir, et pas forcément coûteux.

La meilleure raison peut-être de pratiquer cette générosité spontanée, c'est qu'elle vous apporte une grande satisfaction personnelle. Chacune de vos bonnes actions produit en vous des sentiments positifs et vous rappelle ce qui compte vraiment dans l'existence : le don, le service rendu, la gentillesse, l'amour. Si chacun y met du sien, nous vivrons bientôt dans un monde meilleur.

35

Ne jugez pas sur les apparences

Vous êtes-vous déjà entendu dire cette phrase, ou l'avez-vous entendue dans la bouche de quelqu'un : « Ne fais pas attention à Untel, il ne savait pas ce qu'il faisait » ? Si oui, alors vous avez déjà été exposé à cette forme de sagesse qui consiste à « ne pas juger sur les apparences ». Tous les parents connaissent l'importance de cette attitude fondée sur le pardon. Car si l'amour que nous portons à nos enfants dépendait de leur comportement, nous aurions parfois du mal à leur témoigner la moindre affection ! Et combien parmi nous auraient mérité l'amour de leurs parents pendant cette période troublée qu'est l'adolescence ?

Ah, si seulement nous pouvions étendre à tous les hommes la tendresse que nous éprouvons à l'égard de nos chères têtes blondes ! Le monde ne serait-il pas meilleur si nous pouvions considérer chaque action qui nous déplaît avec ce regard d'indulgence que nous posons sur les écarts de conduite de notre progéniture ?

Cela ne signifie pas qu'il faille se mettre des œillères et prétendre que tout va pour le mieux. Il ne s'agit pas de laisser les autres nous marcher sur les pieds, ni même d'excuser les comportements fautifs : il s'agit d'accorder à autrui le bénéfice du doute. Se dire que si l'employé des postes est lent, c'est qu'il a eu une journée difficile – ou que toutes ses journées sont difficiles. Quand votre femme ou un ami vous répond sur un ton brusque, essayez de comprendre que, au-delà de cet acte isolé, ils ne demandent qu'à vous aimer et à se sentir aimés par vous.

Ne pas s'arrêter aux apparences est plus facile qu'on ne veut le croire. Essayez dès aujourd'hui, vous ne tarderez pas à en sentir les bienfaits.

36

Sachez voir l'innocence

Une source fréquente d'exaspération est certainement notre incapacité à comprendre les autres. Autant avouer, nous avons plus souvent tendance à les présumer coupables qu'à les supposer innocents. Une propension naturelle nous pousse à focaliser sur leurs comportements apparemment illogiques leurs remarques mesquines, les gestes égoïstes ou méchants qui tous contribuent à nous agacer.

À croire que notre entourage conspire à nous saper le moral...

Un jour, j'ai entendu un confrère s'exclamer lors d'une conférence :

— Rassemblez tous ceux qui vous tapent sur les nerfs et envoyez-les-moi. Je les soignerai et vous irez beaucoup mieux !

Évidemment, c'est absurde. Les autres ont peut-être des agissements curieux (qui n'en a pas ?), mais c'est *nous* qui nous énervons, c'est donc à *nous* de changer. Il ne s'agit pas de tolérer, ni de cautionner et encore moins d'encourager la violence ou tout autre débordement. Il s'agit d'apprendre à être moins vulnérable aux faits et gestes d'autrui.

Lorsque quelqu'un commet un acte qui vous paraît répréhensible, prenez vos distances, essayez de voir « au-delà » pour déceler l'innocence à l'origine de ce comportement. Très souvent, ce changement d'optique suffit à nous placer dans un état plus réceptif.

Il m'arrive par exemple de travailler avec des gens pressés qui me demandent d'accélérer le mouvement. Leur attitude à mon égard devient désagréable, voire insultante. Si je me focalise sur les mots employés, sur le ton de voix et sur l'urgence de leurs propos, je vais m'énerver, répondre avec colère. Je vais les considérer comme « coupables ». Mais si je me rappelle cette sensation de panique que j'éprouve moi-même lorsque je suis pris par le temps, cela me permet de réintroduire l'innocence dans leur comportement. Derrière l'attitude la plus odieuse se cache une personne en mal d'affection.

La prochaine fois que vous vous trouverez dans une situation semblable, cherchez l'innocence. Avec un tant soit peu de compassion, vous y arriverez sans peine. Les faits qui hier vous mettaient hors de vous cesseront de vous atteindre. Et il vous sera beaucoup plus facile de vous concentrer sur la beauté de la vie...

37

Dites-vous que mieux vaut
« avoir du cœur » qu'« avoir raison »

Comme je l'ai dit dans un chapitre précédent, nous avons très souvent, dans la vie de tous les jours, l'occasion de choisir entre « faire plaisir » et « avoir raison ». Vous pouvez souligner au crayon rouge les erreurs commises par un collègue, lui indiquer ce qu'il aurait dû faire, et les moyens de réparer sa bévue. Vous pouvez le « corriger » en privé comme en public. Ce ne sont là que des occasions de saper son moral, et le vôtre du même coup.

Qu'est-ce qui nous pousse ainsi à dénigrer les autres, à leur distribuer des avertissements et des blâmes ? Tout simplement notre cher ego, qui raisonne ainsi : si notre interlocuteur a tort, c'est donc que nous avons raison ; et si nous avons raison, cela suffira à notre bonheur.

Mauvais calcul. Car pour peu que vous prêtiez attention à ce que vous ressentez après avoir « démoli » quelqu'un, vous constaterez que vous vous sentez plus mal qu'auparavant. Votre cœur – ce fidèle organe de la compassion – sait qu'il est impossible de gagner votre bien-être sur le dos des autres.

Dieu soit loué, c'est l'inverse qui est vrai ! Quand vous remontez le moral des troupes, quand vous partagez leur joie, vous récoltez en récompense les échos de leurs sentiments positifs. La prochaine fois que vous aurez l'occasion de reprendre quelqu'un, résistez à la tentation. Demandez-vous plutôt : « Qu'est-ce que j'attends vraiment de notre échange ? » Dans la plupart des cas, vous espérez une relation paisible, où chaque partie coopère et où l'on se quitte bons amis. Chaque fois que vous résisterez à l'envie de jouer les « monsieur Je-sais-tout » et que vous opterez pour la gentillesse, vous éprouverez un sentiment de calme intérieur.

Récemment, ma femme et moi discutions d'un investissement commercial qui s'était avéré profitable. J'en parlais comme de « mon » idée, pour mieux m'en attribuer tout le mérite. Kris, avec sa bonté naturelle, a bien voulu me laisser ce plaisir. Mais plus tard dans la journée, je me suis rappelé que c'était en fait « son » idée, et pas la mienne. Je lui ai passé un coup de fil pour m'excuser. Elle m'a répondu que ce qui comptait à ses yeux, c'était de me voir heureux, et peu importe qui avait eu l'idée le premier ! Maintenant vous comprenez mieux, je l'espère, pourquoi je l'adore !

Ne croyez pas que cette stratégie vous incite à devenir une chiffe molle, prompte à retourner sa veste et incapable de défendre ses convictions. Vous avez parfaitement le droit d'avoir raison – mais sachez que si vous *insistez* pour avoir raison, il y a toujours un prix à payer : vous y perdez votre paix intérieure. Pour atteindre l'équanimité, mieux vaut (en règle générale) « avoir du cœur » qu'« avoir raison ».

Quand faut-il commencer ? Pourquoi pas dès la prochaine conversation ?

38

Dites (aujourd'hui) à trois personnes que vous les aimez

S i vous n'aviez plus qu'une heure à vivre et que vous ne pouviez passer qu'un seul coup de fil, qui appelleriez-vous, que lui diriez-vous et... qu'attendez-vous pour le faire ? » Quel message percutant !

Qui sait ce que nous attendons tous ? Nous voulons sans doute nous croire immortels. Ou bien nous pensons qu'« un jour ou l'autre », nous aurons l'occasion de dire notre amour à nos proches. Quelle que soit la raison, nous repoussons au lendemain... jusqu'à ce qu'il soit trop tard.

Le hasard veut que j'écrive ces lignes le jour de l'anniversaire de ma grand-mère. Plus tard dans la journée, mon père et moi nous rendons sur sa tombe. Elle est morte il y a environ deux ans. Quelque temps avant son décès, elle a soudain éprouvé le besoin de faire savoir à tous les membres de sa famille combien elle les aimait. C'est pour moi un bon moyen de me rappeler qu'il ne faut pas multiplier les atermoiements. Dès aujourd'hui, il est temps de dire aux gens toute l'affection que vous leur portez.

Le mieux, c'est de le faire de vive voix – éventuellement par téléphone. Je me demande combien de personnes ont reçu un coup de fil du genre : « J'appelle juste pour te dire que je t'aime ! » Vous n'imaginez pas à quel point cela peut faire plaisir ! N'aimeriez-vous pas vous-même recevoir un tel message ?

Si vous êtes trop timide pour appeler, écrivez un mot gentil. Quelle que soit la méthode employée, vous vous apercevrez que ce témoignage d'affection peut rapidement devenir une habitude. Et je ne vous surprendrai qu'à moitié si je vous dis que vous recevrez plus d'amour en retour...

39

Soyez modeste

Humilité et tranquillité d'esprit marchent main dans la main. Moins vous vous sentirez obligé de poser pour la galerie et plus il vous sera facile de vous sentir en paix avec vous-même.

Vouloir toujours prouver sa valeur est un piège dangereux. Tout d'abord, il nous en coûte une énergie formidable. La vantardise pervertit ensuite les sentiments positifs que vous pouvez tirer d'un accomplissement dont vous avez tout lieu d'être fier par ailleurs. Pire encore : plus vous essayez de vous faire mousser, plus les autres vous évitent, plus ils se moquent dans votre dos de vos fanfaronnades – révélatrices d'instabilité psychologique. Ils finiront même par vous prendre en grippe.

Car tel est le paradoxe : moins vous cherchez les compliments, plus vous en recevez. Par quel genre d'hommes sommes-nous le plus attirés ? Par ceux qui ont toujours besoin de plastronner ou de voler la vedette ? Ou bien plutôt par ceux qui affichent une confiance placide, qui ouvrent leur cœur au lieu d'enfler leur ego ?

Le meilleur moyen d'accroître sa modestie, c'est encore de s'y exercer. L'onde de retour sera immédiate : elle se traduira par un sentiment de sérénité. La prochaine fois que vous éprouverez la tentation de vous vanter, résistez-y. J'en parlais récemment à un patient qui m'a confié cette anecdote : quelques jours après avoir décroché un poste important dans l'entreprise qui l'employait, il buvait un verre au milieu d'un groupe d'amis. Ceux-ci n'étaient pas encore au courant de la nouvelle. Le problème, c'est que mon patient avait été promu à la place d'un autre de leurs amis, avec lequel il avait toujours été en compétition. La tentation était donc forte d'annoncer haut et fort sa « victoire ». Il était sur le point d'ouvrir la bou-

che quand son petit doigt lui a soufflé : « Tais-toi, ne dis rien. »
Mon patient a donc continué à s'amuser comme si de rien
n'était. Il n'a pas paru se réjouir de la déception du candidat
malheureux. Résultat, il ne s'est jamais senti aussi calme et fier
de lui ! Il avait réussi à savourer son succès sans pour autant
s'en targuer ouvertement. Plus tard, lorsque ses amis eurent
appris la nouvelle, ils lui firent savoir qu'ils étaient impression-
nés par son tact. Ainsi, en faisant preuve de modestie, mon
patient a reçu plus d'échos positifs que ne lui en aurait jamais
valu un déballage d'autosatisfaction. Vous voulez qu'on pense
du bien de vous ? N'en dites pas.

40

Quand vous avez oublié qui doit descendre la poubelle, faites-le vous-même !

S i l'on n'y prend pas garde, on se laisse facilement aller à éprouver du ressentiment à l'égard de toutes les responsabilités de la vie quotidienne. Un soir de déprime, j'ai calculé que, dans une journée normale, j'accomplis environ un millier d'actions différentes. Je précise que cette estimation diminue sensiblement lorsque je suis de bonne humeur.

Ahurissant, quand on y pense, cette facilité avec laquelle je répertorie toutes mes corvées et responsabilités... Mais il m'est encore plus facile d'oublier celles auxquelles ma femme doit faire face chaque jour ! Pardi, c'est tellement plus commode !

Je vois mal comment on peut espérer atteindre la tranquillité d'âme lorsqu'on garde trace de tout ce qu'on fait. Cette comptabilité malsaine a toutes les chances de nous déprimer : elle encombre notre esprit de questions du genre « qui fait quoi ? » et « qui en fait plus que l'autre ? ». C'est vraiment ce qui s'appelle s'empoisonner la vie pour des bricoles ! Certains en sont même à se disputer sur le thème « à qui le tour de sortir la poubelle ? ». Plutôt que de vous triturer les méninges à résoudre ce problème existentiel, prenez l'initiative de descendre vous-même la poubelle ! Vous aurez la satisfaction de vous montrer utile et le plaisir de savoir que, grâce à vous, un membre de la famille aura une corvée de moins dans la journée.

Certains redoutent qu'une telle stratégie ne les expose à se laisser exploiter. Ne va-t-on pas abuser de leur gentillesse ? Ne vont-ils pas passer pour une « bonne poire » ? C'est une erreur comparable à celle qui nous pousse à croire qu'il est important d'avoir toujours raison. La plupart du temps, nous l'avons vu, ça n'a aucune importance. Même chose ici. Quelle différence si vous descendez la poubelle un peu plus souvent que votre conjoint ? Croyez-moi, accorder moins d'importance à sa poubelle, c'est le moyen infaillible de se recentrer sur l'essentiel.

41

Laissez tomber le calfatage !

La notion de « calfatage » est une métaphore à laquelle j'ai recours pour illustrer une de nos tendances les plus névrotiques : notre absence quasi totale de mansuétude.

Sur les navires en bois, il faut régulièrement calfater les ponts et les bordages de la coque, c'est-à-dire garnir d'étoupe goudronnée les joints et les interstices pour les rendre étanches. En prévision des intempéries de l'hiver, nous colmatons les fissures ou les fenêtres mal jointes de notre maison. De la même façon, nous pouvons être tentés de « calfater » nos rapports aux autres et même notre existence tout entière : autrement dit, nous surveillons de façon pointilleuse tout ce qui a besoin de réparation. Nous relevons les moindres failles et faiblesses, nous nous efforçons de les corriger ou de les stigmatiser. Non seulement cette manie est susceptible de nous aliéner notre entourage, mais elle nous sape le moral. En effet, nous finissons par focaliser en permanence sur ce qui ne va pas, sur tout ce qui nous déplaît. Bref, nous perdons de vue cette loi pourtant essentielle à notre sérénité : dans la vie, rien ni personne ne peut prétendre à la perfection.

Dans nos rapports avec les autres, la passion pour le calfatage s'exprime ainsi. Vous rencontrez quelqu'un et tout se passe bien entre vous. Vous êtes attiré par son physique, par sa personnalité, par son intelligence, par sa culture, par son sens de l'humour ou par un assemblage de ces qualités. Au départ, les différences qui vous séparent ne constituent pas un obstacle, elles seraient même un aiguillon à la séduction. Vous avez des opinions, des goûts, des priorités qui diffèrent et cela vous paraît stimulant. Vous pouvez également être attiré par cette personne justement à *cause* de ces différences.

Au bout d'un certain temps, toutefois, vous commencez à

remarquer des petits défauts chez votre nouveau partenaire (ou ami, ou professeur, etc.). Vous vous mettez en tête de les corriger. Vous les signalez, en disant par exemple : « Tu es souvent en retard. » Ou bien : « Je trouve que tu ne lis pas beaucoup. » Ou encore : « Tu fais trop de bruit en mangeant. » Sans vous en apercevoir, vous venez de vous engager sur la voie de ce qui pourrait bien devenir une obsession : traquer en permanence ce qui vous gêne chez une personne.

Une remarque occasionnelle, une critique constructive ou un conseil utile ne peuvent pas faire de mal, c'est entendu. Pourtant, fort de mon expérience auprès de centaines de couples, je dois dire que j'ai rarement rencontré des personnes qui ne se sentaient pas « calfatées » par leur partenaire. On relève un défaut physique, une petite manie qui hier encore faisait sourire et qui aujourd'hui indispose... De fil en aiguille, les remarques anodines et occasionnelles ont une fâcheuse tendance à devenir de cinglants leitmotive.

N'oubliez jamais : quand vous passez une personne au crible, cela ne révèle rien sur elle – mais cela vous définit immanquablement comme quelqu'un qui a besoin de critiquer.

Dans ce cas, il faut vous débarrasser de cette mauvaise habitude. Quand l'envie se glisse dans votre esprit, ressaisissez-vous et scellez vos lèvres. Moins vous « calfaterez » votre conjoint ou vos amis, plus vous vous apercevrez que, tout compte fait, la vie est belle.

42

Ayez chaque jour une pensée d'amour

J'ai conseillé plus haut de trouver chaque jour quelqu'un à remercier. Une autre excellente source de paix intérieure consiste à trouver chaque jour une personne à aimer. Vous connaissez sans doute le vieux dicton : « Une pomme par jour chasse le médecin. » L'équivalent pour notre propos serait sans doute : « Une gorgée d'amour par jour chasse tout ressentiment ! »

J'ai décidé d'adopter cette stratégie lorsque je me suis rendu compte que je faisais régulièrement l'inverse : je pensais trop aux empêcheurs de tourner en rond. Ils me tapaient sur le système, littéralement. Mon esprit ne retenait que leurs méfaits et leurs manigances : aussitôt je me trouvais comme empli de toute cette négativité. Lorsque j'ai pris la décision de penser chaque jour à une personne à aimer, mon attention s'est de nouveau recentrée sur le positif – non seulement à l'égard de cette personne en particulier, mais en général pour toutes mes rencontres et activités de la journée, je ne prétends pas être entièrement à l'abri d'un accès d'exaspération, mais cela m'arrive beaucoup moins souvent qu'auparavant. Je dois cette amélioration à l'exercice suivant.

Chaque matin, au réveil, je ferme les yeux, je respire profondément, puis je me pose cette question : « À qui vais-je adresser mon amour aujourd'hui ? » Immédiatement, un visage me vient à l'esprit – un parent, un ami, un collègue, un voisin, ou même un inconnu que j'ai croisé dans la rue. L'important à mes yeux réside moins dans l'identité de la personne que dans le fait même d'orienter ma pensée vers l'amour. Une fois que j'ai clairement choisi le « destinataire », je lui envoie simplement mes meilleurs vœux. Je peux me contenter de prononcer intérieurement une phrase du type : « J'espère que tu passeras une journée formidable, pleine de joie et d'affection. » Et presque aussitôt, je sens que mon cœur est prêt à débuter la journée. Il se produit là quelque chose de magique, de quasi miraculeux : ces quelques secondes vont m'accompagner pendant plusieurs heures. Pratiquez régulièrement cet exercice, et vous ferez certainement la même expérience.

43

Devenez anthropologue

L'anthropologie est la science qui étudie l'homme et ses origines. On me permettra ici de la définir, pour les besoins de ma cause, comme le « fait de s'intéresser, sans jamais porter de jugement, à la manière dont vivent les gens ». Le recours à cette discipline permet d'accroître votre compassion, ainsi que votre patience. Il s'agit, plus largement, de remplacer nos préjugés par un effort de compréhension. En témoignant une curiosité sincère pour ce que pensent et font les gens autour de vous, il vous sera plus difficile de leur tenir rigueur pour certaines de leurs attitudes. Ainsi, « devenir anthropologue » est un bon moyen de s'épargner des contra-riétés inutiles.

Quand une personne agit d'une manière qui vous semble étrange, évitez de grimper au plafond en vous exclamant : « Je n'arrive pas à croire qu'elle m'ait fait une crasse pareille ! », dites-vous plutôt : « Très intéressant. C'est donc comme ça qu'elle voit les choses. » Attention ! L'efficacité de cette straté-gie est proportionnelle à votre sincérité. La frontière est fragile entre la curiosité bienveillante et la condescendance qui vous ferait secrètement considérer votre mode de vie comme forcé-ment meilleur.

L'autre jour, j'étais dans un centre commercial avec ma fille, âgée de six ans. Un groupe de punks traînait là, avec leur crête orange et leurs bras couverts de tatouages. Ma fille m'a aussitôt demandé :

— Papa, pourquoi ils sont habillés comme ça ? Ils vont à un bal costumé ?

Quelques années plus tôt, j'aurais eu une opinion très tran-chée et critique sur ces jeunes – plein de la conviction que mes valeurs plus « conservatrices » étaient forcément justes.

Maugréant une pseudo-explication dédaigneuse, j'aurais transmis à ma fille tous mes préjugés. Jouer les anthropologues m'a permis de modifier mon approche ; cela m'a adouci. J'ai répondu à ma fille :

— Je n'en sais rien, ma chérie. Mais c'est intéressant de voir que nous sommes tous différents, non ?

— Peut-être, mais je préfère mes cheveux comme ils sont.

Et voilà ! Plutôt que d'en faire tout un plat, nous sommes passés aussitôt à autre chose et nous avons continué notre promenade...

Quand vous faites l'effort de comprendre les opinions affichées par les autres, cela ne signifie nullement que vous les encouragiez. Je ne choisirai certainement pas de vivre comme un punk et je ne le conseillerai à personne. Mais d'un autre côté, ce n'est pas à moi de juger. Voici une règle capitale pour notre bien-être : juger autrui épuise notre énergie et nous éloigne de nos objectifs.

44

Familiarisez-vous avec
les « réalités distinctes »

Puisqu'on parle de s'intéresser au comportement d'autrui, j'en profite pour glisser deux mots sur ce que j'appelle les « réalités distinctes ».

Si vous avez eu l'occasion de voyager à l'étranger, ou simplement de voir des documentaires à la télévision, vous savez que, d'une culture à l'autre, les différences sont parfois considérables. Le principe des « réalités distinctes » pose que les écarts entre les individus sont tout aussi importants – et aussi légitimes.

Nous trouvons normal qu'une personne issue d'une autre culture ait des réactions et un comportement différents des nôtres, et nous serions probablement déçus s'il n'en était pas ainsi. Eh bien, nous devrions trouver aussi naturelles les divergences d'opinions entres individus. Il ne s'agit pas seulement de tolérer les différences mais de les comprendre et de les respecter sans jamais les remettre en cause.

Cette prise de conscience est susceptible de modifier radicalement votre existence. Elle peut éliminer presque toutes les disputes. Quelle raison aurions-nous de nous quereller, dès lors que nous acceptons comme une richesse la diversité des points de vue ? Quand nous intégrons le fait que les autres puissent réagir différemment aux mêmes situations, nous augmentons de façon spectaculaire la compassion que nous éprouvons pour eux comme pour nous-mêmes. Toute autre attitude ne peut que générer les conditions d'un conflit.

Je vous encourage à admettre et à respecter nos différences. Votre amour pour les autres s'en trouvera décuplé. Et, par voie de conséquence, vous aurez une meilleure perception de votre caractère unique et irremplaçable.

45

Inventez vos propres rituels d'entraide

Lorsqu'on souhaite voir la paix régner autour de soi, il n'est pas néfaste d'accomplir des actes « pacifiques ». Un de mes moyens préférés consiste à inventer mes propres rituels d'entraide. Des petits gestes qui sont autant d'occasions de rendre service et qui me rappellent au passage combien il est doux de faire le bien.

Nous habitons dans une zone rurale de la baie de San Francisco. Nous sommes donc entourés de verdure. Malheureusement, toute cette beauté naturelle est souillée du fait de certains automobilistes qui n'hésitent pas à jeter leurs détritus par la vitre de leur voiture. L'inconvénient lorsqu'on vit à la campagne, c'est que les infrastructures des services publics – en particulier le ramassage des ordures – y sont plus relâchées qu'en ville.

Un rituel d'entraide que je pratique régulièrement avec mes deux enfants consiste à ramasser les détritus dans notre quartier. Nous y sommes tellement habitués que parfois, en voiture, mes filles s'écrient soudain de leurs voix pointues :

— Là, papa, une canette ! Arrête-toi !

Et si nous avons le temps, je me gare sur le bas-côté pour la ramasser. Si étrange que cela puisse paraître, nous y prenons plaisir. Nous faisons la traque aux papiers gras dans les parcs, sur les trottoirs, presque partout. Il y a quelques semaines, pas très loin de chez moi, j'ai vu un homme que je ne connaissais pas ramasser un emballage vide. Avec un sourire, il m'a dit :

— Je vous ai vu le faire, et ça m'a paru une bonne idée.

Ce n'est là qu'un exemple parmi d'autres. Vous pouvez prêter votre tondeuse, déblayer la neige devant l'entrée du voisin ou rendre visite à des personnes âgées dans les maisons de retraite. Pensez à un service qui vous paraît sans effort mais utile. C'est amusant, gratifiant, et cela donne le bon exemple. Au bout du compte, tout le monde y gagne.

Chaque jour, dites à une personne ce que vous appréciez en elle

V ous arrive-t-il souvent de dire à vos proches l'amour ou l'admiration que vous éprouvez pour eux ? Une chose est sûre, nous ne le faisons jamais assez. Quand je demande à mes patients à quelle fréquence ils reçoivent des compliments sincères, ils me répondent : « Je suis incapable de vous dire quand ça s'est produit pour la dernière fois », ou bien « rarement ». À moins, malheureusement, qu'ils ne m'avouent : « On ne me fait jamais de compliments... »

Pour quelles raisons avons-nous tant de mal à exprimer nos sentiments positifs, envers les autres ? On m'a servi à ce propos toutes sortes d'excuses : « Je n'ai pas besoin de leur dire, ils le savent bien » ou « Je l'admire beaucoup, mais ça me gêne de le lui dire. » Et pourtant, si vous demandez au destinataire éventuel s'il aime recevoir des encouragements, la réponse, neuf fois sur dix, est : « Bien sûr, j'adore ça ! »

Vous n'adressez pas de compliments parce que vous ne savez pas les exprimer, parce que vous êtes timide, parce que vous estimez que les gens connaissent déjà leurs qualités, ou plus simplement parce que vous n'en avez pas l'habitude ? Le moment est venu de changer.

Dire à une personne ce que vous appréciez en elle, c'est produire un acte de « générosité spontanée ». Ce geste ne coûte pratiquement aucun effort (une fois que vous en aurez pris le pli) et pourtant il peut rapporter très gros. Beaucoup de gens passent leur vie à attendre une reconnaissance extérieure : ils espèrent un signe de leurs parents, de leurs conjoints, de leurs enfants et de leurs amis. Mais d'où qu'il vienne, même d'un inconnu, un compliment fait toujours plaisir, à condition toutefois qu'il vienne du cœur. Exprimer votre affection ou votre admiration à l'égard d'une personne s'avère aussi gratifiant pour vous. Cela prouve que votre esprit est orienté vers ce qu'il y a de plus positif en chacun.

L'autre jour, au supermarché, j'ai assisté à un véritable déploiement de patience. La caissière venait d'être agressée verbalement par un client en colère, visiblement sans raison valable. Plutôt que de répliquer avec la même véhémence, la caissière est restée d'un calme souverain. Au moment de régler mes achats, je lui en ai fait la remarque :

— Bravo, j'ai été très impressionné par votre façon de gérer l'incident.

Elle m'a lancé un regard reconnaissant :

— Merci, monsieur. Vous savez que vous êtes le premier dans ce magasin à me faire un compliment ?

Cela m'avait pris quelques secondes à peine. Pourtant, ce fut sans doute le meilleur moment de sa journée – et de la mienne.

Faites attention ! Se fixer des limites, c'est les adopter

N ombreux sont ceux qui passent leur temps à faire étalage de leurs prétendues insuffisances : « Je suis incapable de faire telle chose », « Je n'y peux rien, j'ai toujours été comme ça », « Je n'aurai jamais de relation équilibrée avec un homme », et des dizaines d'autres postulats défaitistes du même acabit.

Le cerveau humain est un instrument d'une redoutable puissance. Quand nous décidons que telle chose est vraie, immuable ou inaccessible, il nous devient très difficile par la suite de surmonter ces obstacles que nous avons en fait créés de toutes pièces. Supposons, par exemple, que vous vous dites : « Je ne sais pas écrire. » Vous allez chercher (et trouver) divers arguments à l'appui de vos paroles : vos mauvaises notes en dissertation au lycée, ou votre malaise la dernière fois que vous vous êtes assis à une table pour rédiger une lettre. C'est de l'autodénigrement pur et simple. Vous vous inventez des barrières qui vous découragent de tenter quoi que ce soit. Pour devenir écrivain – ou architecte, ou que sais-je encore –, la première chose à faire est de tordre le cou au critique le plus sévère : vous-même !

Une patiente m'a dit un jour :

— Je n'aurai jamais de relation stable avec un homme. Il faut toujours que je fiche tout par terre.

Et elle avait raison. Chaque fois qu'elle rencontrait quelqu'un, elle se mettait presque aussitôt – inconsciemment, bien sûr – à chercher les raisons pour lesquelles son nouveau partenaire allait la quitter. En somme, elle n'avait de cesse de lui fournir des verges pour être fouettée. Si elle arrivait en retard à un rendez-vous, elle annonçait :

— Je n'ai aucun sens de l'heure.

S'ils n'étaient pas d'accord sur un sujet, elle s'empressait de lui dire :

— J'ai toujours tendance à couper les cheveux en quatre. Une vraie teigne.

À ce rythme, elle finissait toujours par convaincre son prétendant qu'elle n'était pas digne de son amour. Elle pouvait alors conclure :

— Voilà, c'est bien ce que je disais ! Chaque fois c'est la même histoire. Aucun homme ne me supportera très longtemps...

Il lui fallait apprendre que le pire n'est jamais sûr. Pour commencer, je lui ai conseillé de guetter les moments où elle se laissait aller à cette forme d'autoflagellation. Quand elle se disait : « Chaque fois, c'est pareil », elle devait aussitôt se corriger : « C'est ridicule, rien n'est pareil, on ne se baigne pas deux fois dans le même fleuve ». Elle devait réaliser que se fixer des limites n'est qu'une habitude négative qui peut facilement être remplacée par une attitude plus positive. Aujourd'hui, elle se débrouille beaucoup mieux. Quand par hasard elle succombe à son démon familier, elle en rit – donc elle en a pris conscience.

Faites attention : si vous visez toujours plus bas, croyant être incapable de mieux, il est certes évident que vous ne prenez pas le risque d'échouer. Mais à vaincre sans péril on triomphe sans gloire.

48

Rappelez-vous que les empreintes du Créateur sont partout

Tout ce que Dieu a créé est potentiellement sacré. Notre tâche en tant qu'êtres humains consiste à déceler cette dimension dans des situations en apparence très « profanes ». Quand nous aurons acquis cette faculté, nous pourrons alors « nourrir » notre âme – la fortifier et l'élever. Il est facile de voir la main de Dieu si l'on contemple un magnifique coucher de soleil, des montagnes enneigées, le sourire d'un enfant ou les vagues qui viennent lécher une plage de sable. Mais serons-nous capables de voir le divin dans des circonstances moins agréables – les écueils de la vie, une tragédie familiale, nos difficultés quotidiennes, la misère, etc. ?

Quand nous nous employons à débusquer le sacré sous le plus prosaïque, il se produit quelque chose de magique. La naissance d'un sentiment de paix. Nous commençons à percevoir des aspects bénéfiques de la vie quotidienne qui nous étaient jusqu'alors cachés. Quand vous êtes confronté à un mauvais coucheur ou quand vous payez vos factures, souvenez-vous que la main de Dieu est partout, et l'horizon s'ouvre. Dieu a aussi créé la personne qui vous doit des sous et, malgré toutes vos difficultés à payer vos factures, la vie et ses joies simples restent un don du ciel.

Gardez présent à l'esprit, même dans un tiroir secret, que Dieu a laissé ses empreintes sur toute chose. Le fait que nous soyons incapables de repérer la beauté d'un être ou d'une situation ne signifie pas pour autant qu'il ou elle en soit dépourvu. Cela prouve simplement que nous ne regardons pas assez bien et que notre esprit est malheureusement hermétique à l'étincelle divine.

Résistez à la tentation de critiquer

U n reproche ne révèle rien sur la personne à qui nous l'adressons : il ne fait que souligner notre propre besoin de critiquer.

Vous assistez à un cocktail ou à une réunion quelconque et vous écoutez d'une oreille distraite les tombereaux de médisances déversées sur tout un chacun. Plus tard, en regagnant votre domicile, vous vous demandez si ces sarcasmes sont d'une quelconque utilité. Pas du tout, évidemment... Mais ce n'est pas fini. Non seulement la critique ne résout rien, mais elle alimente l'agressivité et la méfiance dans le monde. Après tout, personne n'aime les remontrances. Quand nous nous sentons attaqués, nous avons deux attitudes possibles : ou bien nous recroqueviller dans la honte et la peur, ou bien laisser exploser notre colère. Combien de fois vous êtes-vous entendu répondre, après avoir passé un savon à quelqu'un : « Oh, merci de me signaler mes fautes, ça me fait vraiment plaisir » ?

Les critiques, comme les jurons, ne sont rien d'autre qu'une mauvaise habitude. C'est devenu pour nous un sport familier, qui nous distrait et nous donne des sujets de conversation.

Toutefois, si vous êtes attentif à vos impressions juste après avoir dénigré quelqu'un, vous remarquerez que vous vous sentez vaguement honteux et déprimé – comme si vous étiez l'incriminé ! Cela s'explique aisément : quand nous infligeons des blâmes, nous clamons haut et fort à notre auditoire et à nous-mêmes : « J'ai besoin de critiquer. » Et il n'y a vraiment pas de quoi être fier...

La solution ! Vous surprendre la main dans le sac. Le cancan au bec. Calculez combien de fois cela vous arrive par jour, guettez vos propres sensations après avoir émis une critique. Faites-en un jeu. Il m'arrive encore d'adresser des reproches, mais chaque fois que ce besoin naît en moi, j'essaie de me dire : « Attention, voilà que je recommence... » Deux fois sur trois, je parviens à transformer cette impulsion négative en sentiment de tolérance et de respect.

Faites la liste de vos cinq opinions les plus inflexibles et efforcez-vous de les assouplir

La première fois que j'ai essayé cette tactique, j'étais tellement borné que je refusais d'admettre mon entêtement ! Peu à peu, je me suis exercé à mieux repérer mes « idées fixes ».

Voici quelques exemples fournis par mes patients. « Ceux qui ne connaissent pas le stress sont des tire-au-flanc. » « C'est comme ça et pas autrement. » « Les hommes ne savent pas écouter. » « Les femmes sont des paniers percés. » « Avoir des enfants, c'est trop de travail. » « L'argent mène le monde. » On pourrait continuer presque à l'infini. Ce qui compte ici, ce n'est pas tant le message véhiculé que votre acharnement à le tenir pour avéré et irréfutable.

Ne vous méprenez pas : mettre un peu d'eau dans votre vin ne va pas forcément vous placer en position de faiblesse. Au contraire, vous n'en serez que plus fort ! Un de mes patients s'était mis en tête, de façon quasi obsessionnelle, que sa femme jetait l'argent par les fenêtres. Il n'en démordait pas, cela en devenait odieux. Quand il a bien voulu baisser sa garde et réexaminer le problème, il a fait une découverte surprenante, qui l'embarrasse aujourd'hui mais dont il sait rire : tout compte fait, il s'est aperçu qu'en réalité il dépensait plus d'argent de poche que sa femme ! Son objectivité avait été brouillée par la rigidité de son a priori.

À mesure qu'il a réappris la sagesse et l'indulgence, sa vie de couple s'est notablement améliorée. Au lieu d'adresser à sa femme des reproches sans fondement, il lui sait gré aujourd'hui de sa modération. De son côté, son épouse perçoit ce regain d'estime et elle n'en aime que davantage son mari.

51

Approuvez les critiques
qui vous sont adressées
(et elles disparaîtront d'elles-mêmes)

N ous nous sentons souvent paralysés par la critique la plus insignifiante. Prompts à imaginer qu'il y a péril en la demeure, nous montons sur nos grands chevaux, prêts à livrer bataille. Pourtant, tout bien réfléchi, une critique n'est rien d'autre qu'une observation émise sur nous, sur nos actions ou nos idées – observation qui ne correspond pas à l'opinion que nous avons de nous-mêmes. La belle affaire !

Les reproches nous blessent, nous font bondir en l'air comme le coup de marteau du médecin qui teste nos réflexes. Considérant qu'il s'agit d'une agression caractérisée, nous usons de représailles : et que je te renvoie la pareille ! Tiens, prends ton paquet ! Avec une telle stratégie du contre-feu, nous gavons notre esprit de pensées agressives ou blessantes. Inutile de préciser que toutes ces réactions dévorent une grande quantité d'énergie mentale.

Un exercice fructueux consiste, au contraire, à accepter les critiques qui vous sont adressées ! Je ne vous demande pas de vous transformer en paillasson ou de prendre pour argent comptant toutes ces vibrations négatives qui fondent sur vous... Mais très souvent, le seul fait d'offrir bonne figure à la critique suffit à en désamorcer la charge. Tout d'abord, vous assouvissez le besoin qu'avait votre interlocuteur d'exprimer son opinion. Ensuite, vous consentez à apprendre quelque chose sur vous-même en cherchant la part de vérité contenue dans un point de vue extérieur. Enfin, et c'est sans doute le plus important, vous vous payez le luxe de garder votre calme.

Je me souviens de la première fois où j'ai *consciemment*

accepté la critique dirigée à mon encontre. C'était il y a quelques années, lorsque ma femme m'a lancé :

— Richard, parfois tu parles trop, tu nous fatigues...

Première réaction : j'étais terriblement vexé, bien sûr ! Puis, dans le quart de seconde qui a suivi, j'ai décidé de baisser pavillon.

— Tu as raison, ai-je répondu. Il m'arrive de trop parler, en effet...

À ce moment-là, j'ai découvert quelque chose qui a changé ma vie. En ne contredisant pas ma femme, je reconnaissais qu'elle n'avait pas complètement tort : je suis parfois aussi bavard qu'une pie ! Mieux encore : voyant que je ne montais pas sur mes ergots, ma femme s'est aussitôt radoucie. Quelques minutes plus tard, j'ai donc eu droit à la caresse après le coup de griffe :

— Ce que j'aime chez toi, c'est que tu es ouvert au dialogue.

Elle n'aurait certainement pas eu la même opinion si j'avais pris la mouche quelques instants auparavant. Riposter violemment ne fait jamais disparaître la critique. Au contraire, vos réactions négatives ne servent bien souvent qu'à confirmer le jugement porté sur vous...

Essayez cette stratégie. Vous verrez qu'approuver une critique occasionnelle rapporte plus que cela ne coûte !

52

Cherchez la parcelle de vérité
dans les opinions adverses

Si vous aimez apprendre et faire plaisir aux autres, alors cette stratégie est pour vous.

Nous donnons tous beaucoup d'importance à nos avis, sinon nous ne serions pas si pressés d'en faire profiter nos voisins ! Malheureusement, nous avons la mauvaise idée de toujours les comparer aux leurs. Et lorsque ces derniers ont le malheur de ne pas correspondre aux nôtres, nous leur refusons tout crédit ou nous ingénions à leur trouver tous les défauts imaginables. Nous prenons alors un air suffisant, notre interlocuteur se sent diminué, et nous n'avons rien appris.

Toutes les opinions (ou presque) sont recevables, surtout si vous vous donnez la peine d'en chercher la valeur, plutôt que les éventuelles faiblesses. La prochaine fois qu'une personne vous donne son avis, ne le critiquez pas d'office, efforcez-vous de déceler cette parcelle de vérité qu'il contient à coup sûr.

Rappelez-vous : chaque fois que vous jetez l'anathème sur quelqu'un ou sur ses idées, cela ne signifie rien sur lui, mais en dit long sur votre compte !

Je me surprends encore à contredire les gens, mais beaucoup moins qu'auparavant. La cause de ce changement ? Simplement mon intention sincère de trouver la part de vérité exprimée dans le point de vue adverse. Mettez cette stratégie en pratique et vous ne tarderez pas à en récolter tous les bienfaits : vous comprendrez mieux ceux avec qui vous discutez. De leur côté, ils se tourneront plus volontiers vers votre énergie positive. Enfin, et c'est l'essentiel, vous vous sentirez bien plus léger.

53

Considérez le verre comme déjà cassé (et le reste aussi)

V oici un enseignement bouddhiste que j'ai assimilé il y a une bonne vingtaine d'années. Il m'a fourni le recul nécessaire pour me guider vers mon but – l'indulgence sereine.

Au cœur de ce principe réside l'idée que le monde est en constante mutation. Tout se crée, tout se transforme, rien ne se perd. Un arbre émane d'une graine enfouie dans le sol et finira par retourner à la terre. Une pierre se forme et redevient poussière. Dans notre monde moderne, cela signifie qu'une voiture, une machine à laver, un vêtement sont tous fabriqués, qu'ils vont s'user, tomber en panne ou se déchirer inéluctablement : la seule inconnue, c'est « quand ? ». Nos corps aussi se développent et meurent. Vous adorez un vase ? Ne vous leurrez pas, il devra se briser.

Cette prise de conscience est garante de paix. Quand vous vous attendez à ce que quelque chose se casse un jour, vous n'êtes ni surpris ni déçu lorsque cela se produit. Au lieu de vous sentir catastrophé par la disparition de l'objet, vous remerciez le ciel pour « le temps que ça a duré ».

Le plus facile, pour commencer, c'est d'appliquer cette sagesse à de petits objets – un verre par exemple. Sortez une flûte à champagne du placard. Prenez le temps d'admirer sa beauté, sa clarté ou son utilité. Puis imaginez ce verre de cristal décomposé en mille éclats sur le sol. Essayez de garder présent à l'esprit que tout se désintègre et reprend sa forme d'origine.

Évidemment, personne n'a envie de voir ses verres (ou tout autre objet) en morceaux. Cette philosophie ne vous incite pas à la passivité ou à l'apathie : elle vous demande de vous réconcilier avec la vie, telle qu'elle est. Quand votre flûte à champagne se cassera, vous n'aurez aucun mal à garder votre sang-froid. Donc ne dramatisez pas, ne jurez pas vos grands dieux et dites plutôt : « Ça devait arriver. » Non seulement vous resterez calme, mais vous apprendrez à mieux profiter du moment présent.

54

Intégrez cette maxime :
« Où que vous alliez, vous y êtes »

Faites vôtre cette maxime de Jon Kabat-Zinn, car partout où vous allez, vous vous emmenez avec vous ! Or nous avons tendance à croire que si nous étions ailleurs – en vacances, avec un autre conjoint, engagé dans une autre carrière, logé dans une maison plus grande, etc. –, tout serait différent, nous serions bien plus heureux. Eh bien non !

Si vous avez des habitudes mentales négatives – vous vous mettez facilement en colère, vous vous réfugiez souvent dans la nostalgie ou l'espoir d'un avenir radieux –, ces tendances vous suivront partout où vous irez. L'inverse est aussi vrai : si vous êtes une personne globalement heureuse, aux nerfs solides, vous pouvez changer d'endroit, de partenaire ou de situation professionnelle sans que cela affecte de façon tragique votre existence.

Un jour, quelqu'un m'a demandé :
— Comment sont les gens en Californie ?
— Comment sont-ils là où vous habitez ? lui ai-je rétorqué.
— Égoïstes et obsédés par le fric.

Je lui ai répondu que, dans ce cas-là, il trouverait probablement les Californiens égoïstes et obsédés par le fric...

Il se produit un progrès formidable dans votre esprit lorsque vous prenez conscience que la vie est comme une voiture : elle se conduit de l'intérieur, pas de l'extérieur !

Commencez par vous concentrer sur les progrès que vous pouvez faire là où vous êtes, plutôt que de perdre votre temps à imaginer que l'herbe est plus verte ailleurs. Vous éprouverez aussitôt un sentiment de paix. Puis, à mesure que vous avancerez, au fil des expériences et des rencontres, vous finirez par emporter partout cette sensation de sérénité intérieure. « Où que vous alliez, vous y êtes. » Rien n'est plus vrai.

Respirez avant de prendre la parole

C ette stratégie a produit des résultats remarquables sur pratiquement tous ceux qui l'ont essayée. Parmi ses effets presque immédiats, une patience accrue, une plus grande perspective, et, en bienfait annexe, davantage de respect à l'égard des autres.

La stratégie en elle-même est d'une simplicité exemplaire. Tout ce que je vous demande de faire, c'est de marquer une pause – une « respiration » – après que votre interlocuteur a fini de parler. Au début, ce temps mort entre vos deux voix vous paraîtra interminable – en réalité, il ne durera qu'une fraction de seconde. Peu à peu, vous vous habituerez à la beauté et à la puissance de la respiration, vous y prendrez plaisir. Ce court silence vous rapprochera de tous ceux avec qui vous discutez – et vous gagnera leur respect : une écoute sincère est un cadeau précieux. Et vous n'avez besoin pour cela que d'un peu de volonté et de pratique.

Écoutez les conversations autour de vous. Vous verrez que nous nous contentons, pour la plupart, d'attendre notre tour de parler. Nous l'avons déjà dit, nous n'écoutons pas vraiment nos vis-à-vis, nous sommes bien trop occupés à guetter l'ouverture, cette brèche qui nous permettra de glisser notre opinion. Pour accélérer le mouvement, nous finissons les phrases de nos interlocuteurs, nous les ponctuons d'un « oui, oui » ou d'un « je sais » pressants. La conversation s'assimile alors à une partie de ping-pong où il ne s'agit pas d'apprendre quoi que ce soit mais de marquer le point.

Une urgence dans la communication est la porte ouverte aux malentendus, aux interprétations abusives, aux jugements à l'emporte-pièce, etc. – tout cela avant même que notre interlocuteur ait achevé sa tirade ! Pas étonnant, dans ces conditions, que nous finissions par nous regarder en chiens de faïence. Avec de telles qualités d'écoute, on se demande même comment on peut encore avoir des amis !

J'ai passé une partie de ma vie à attendre mon tour de parole. Aujourd'hui, c'est fini. Je laisse mes interlocuteurs aller librement au bout de leur argumentation. Quelle surprise, quelle satisfaction sur leur visage ! Souvent, en agissant ainsi, vous offrez à quelqu'un l'occasion d'être écouté pour la première fois. Une sorte de soulagement se lit dans son attitude, un ange passe entre vous deux, Et ne vous tracassez pas : votre tour viendra. Vous aurez même plus de plaisir à parler : impressionné par la patience et le respect que vous venez de lui accorder, votre vis-à-vis se mettra au diapason.

56

Remerciez le ciel quand vous avez le moral et faites bonne figure quand vous ne l'avez pas

L a personne la plus heureuse au monde ne nage pas en permanence dans le bonheur. Elle aussi a ses moments de découragement, ses problèmes, ses déceptions et ses peines de cœur. La différence entre une personne heureuse et une personne malheureuse ne réside pas dans la fréquence – ni même l'intensité – de leurs coups de « blues », mais dans leur façon d'appréhender ces sautes d'humeur.

Comment nous y prenons-nous ? Il faut bien le dire, la plupart des gens ont faux sur toute la ligne. Quand ils ont le moral à zéro, ils prennent leurs déprimes très au sérieux, se torturent pour comprendre et analyser ce qui ne va pas. Ils veulent sortir de cet état en se faisant violence – ce qui tend à aggraver le problème plutôt qu'à le résoudre.

Observez par contraste une personne parvenue à un certain degré de sérénité. Quand elle a le moral, elle s'en réjouit. Mais elle reste consciente que les sentiments positifs comme négatifs sont éphémères, que le moment viendra où elle ne sera pas dans de si bonnes dispositions.

Pour les gens heureux, ces fluctuations sont normales. Elles font partie de la vie. Ils acceptent le caractère changeant de nos sentiments. Quand ils se sentent déprimés, en colère ou stressés, ils accueillent ces émotions avec ouverture et sagesse plutôt que de lutter contre elles. Sans paniquer, sans donner de ruades, ils sont beaux joueurs dans l'adversité. Cela leur permet de sortir avec grâce du négatif vers le positif.

Une des personnes les plus heureuses que je connaisse est aussi sujette à des cafards monstres de temps en temps. Mais elle ne semble pas s'en effrayer. Tout se passe même comme si elle ne s'en souciait pas : elle sait qu'en temps voulu, elle sera de nouveau gaie comme un pinson. Un coup de spleen, ce n'est pas la mer à boire...

La prochaine fois que vous aurez le moral en berne, au lieu de résister, essayez de vous détendre. Prenez la chose avec élégance. Si vous ne combattez pas vos sentiments négatifs, ils s'en iront aussi sûrement que le soleil va se coucher ce soir.

Soyez moins agressif au volant

Dans quelles situations perdez-vous le plus facilement votre sang-froid ? Je suis prêt à parier qu'un bon nombre d'entre vous répondront « quand je suis au volant ». De fait, nos autoroutes ressemblent dangereusement à des circuits de Formule 1 et nos boulevards à des pistes pour autos tamponneuses...

Il y a au moins trois excellentes raisons de conduire de façon moins agressive. En premier lieu, pour assurer votre sécurité et celle des autres ! Deuxièmement, la conduite dite « sportive » est extrêmement stressante : votre tension monte, vos mains s'agrippent au volant, vos yeux fatiguent et vous perdez le contrôle de vous-même... avant peut-être de perdre celui de votre véhicule. Dernière raison, vous n'arriverez pas plus vite à destination en roulant le pied collé au plancher !

L'autre jour, j'ai emprunté la route d'Oakland à San José. La circulation était dense, mais fluide. J'ai remarqué un conducteur très agressif qui faisait du slalom d'une file à l'autre, alternant coups de frein et accélérations brutales. De toute évidence, il était pressé. En ce qui me concerne, je suis resté sur la même voie pendant tout le trajet (environ soixante kilomètres). Je rêvassais en écoutant une cassette que je venais d'acheter. Les déplacements en voiture me donnent l'occasion d'être seul. Au moment où je quittais l'autoroute, mon Fangio est arrivé derrière moi et m'a dépassé. Sans m'en rendre compte, à mon rythme, j'étais arrivé à San José avant lui ! Tous ses zigzags et ses queues de poisson (sans compter les dangers qu'il faisait courir aux autres automobilistes) ne lui avaient rien rapporté – à part une poussée d'adrénaline ainsi que beaucoup de gomme et d'essence gaspillées. Au total, nous avions fait la même moyenne...

Même chose quand vous voyez des véhicules vous doubler brusquement pour arriver avant vous au prochain feu rouge. Rien ne sert de courir. Et encore moins lorsque cela vous coûte une amende, des points à votre permis ou des séances obligatoires de révision du code de la route ! Il vous faudra des années de pilotage à tombeau ouvert pour rattraper ce temps-là...

Quand vous déciderez d'adopter une conduite moins agressive, vous allez pouvoir utiliser le temps passé au volant de manière plus profitable. Considérez vos trajets en voiture non pas seulement comme un moyen de vous rendre à tel endroit, mais comme une occasion de souffler et de réfléchir. Au lieu de bander vos muscles, prêt à vous raidir sur les pédales de commande, essayez de vous détendre. En ce qui me concerne, j'ai dans ma boîte à gants plusieurs cassettes spécialement prévues pour la relaxation musculaire. Parfois, j'en glisse une dans l'autoradio. Lorsque j'arrive à destination, je me sens plus reposé qu'en montant dans la voiture.

Au cours de votre existence, vous allez sans doute rester des heures et des heures dans une automobile. Vous pouvez choisir de les passer dans le survoltage, ou bien les utiliser plus sagement. Vous savez déjà quelle option je vous conseille...

58

Détendez-vous

Q ue veut-on dire par « se détendre » ? Voilà un mot que nous entendons ou prononçons des milliers de fois au cours de notre existence, et pourtant rares sont ceux qui ont une idée précise de sa signification.

Quand vous demandez aux gens (ce qui m'arrive souvent) ce qu'ils entendent par là, ils m'en parlent le plus souvent comme d'une activité appartenant à un avenir incertain – on se détendra plus tard, en vacances, dans un hamac, quand le travail sera fini ou le jour de la retraite. Cela implique, bien sûr, que nous devons passer le reste du temps (soit quatre-vingt-quinze pour cent de notre vie) dans l'agitation, la nervosité et le stress. Peu de gens le reconnaissent aussi ouvertement, mais c'est pourtant la conséquence logique. Ce qui explique sans doute pourquoi la plupart d'entre nous voient la vie comme une course d'obstacles : nous retardons la détente jusqu'à la ligne d'arrivée, jusqu'à ce que notre planning soit vide. Évidemment, ce moment n'arrive jamais.

Vous devez considérer le repos comme une source à laquelle vous avez libre accès plutôt qu'à une terre promise aux calendes grecques. Vous avez le droit et même le devoir de vous relaxer dès maintenant. Rappelez-vous que les gens détendus peuvent aussi être des gagneurs et que le bien-être va de pair avec la créativité. Quand je suis nerveux, je n'essaie même pas d'écrire. Mais dès que je ne le suis plus, l'inspiration revient au galop.

Se détendre, c'est aussi réagir différemment face aux difficultés de la vie – tourner vos « catastrophes » en simples « incidents de parcours ». Souvenez-vous toujours que vous avez la réponse entre vos mains. Vous pouvez apprendre à gérer autrement vos pensées comme les circonstances extérieures. Avec de la pratique, ces choix au quotidien se traduiront par une existence plus sereine.

59

Adoptez un enfant par correspondance

C e livre n'a pas pour objet de faire de la publicité pour diverses organisations humanitaires. Pourtant, ayant moi-même décidé d'adopter des enfants par correspondance, je dois dire que l'expérience s'est révélée extrêmement positive. Bien évidemment, il ne s'agit pas d'«adopter» un enfant, mais de le parrainer et d'apprendre à le connaître. Toute ma famille ne peut que se féliciter de cette initiative. Ma fille cadette a son «adoptée», Luan, une jeune Laotienne. Mon aînée écrit régulièrement à Tama, sa correspondante du Sri Lanka. Elles s'envoient des dessins que nous punaisons sur le mur, elles échangent leurs impressions, leurs peines, leurs projets d'avenir, etc.

Chaque mois, nous envoyons une somme modique à l'organisation chargée de venir en aide à ces enfants. L'argent soutient leurs familles, paie les nécessités de base ainsi que les frais de scolarité.

Mais si nous apprécions tant cette forme de don, c'est à cause de son aspect interactif. Trop souvent, quand vous donnez à une œuvre, vous n'avez aucun moyen de savoir qui vous aidez. Ici, non seulement vous savez à qui vous adressez votre contribution, mais vous avez l'insigne privilège de faire réellement connaissance. Les contacts fréquents et réguliers vous rappellent en outre combien vous avez de la chance d'être en situation de donner. Pour moi comme pour beaucoup de mes amis, ces «adoptions» ont été la source d'un véritable sentiment de gratitude et de bien-être. Renseignez-vous, il existe de nombreuses organisations proposant le parrainage d'enfants...

60

Arrêtez votre cinéma

Nous sommes nombreux à croire que la vie est un mélodrame, avec son action brutale et turbulente, ses rebondissements extravagants. De façon théâtrale, nous réagissons de manière excessive à la moindre péripétie. Nous oublions que la vie n'est pas si grave ni si compliquée. Le pire, c'est qu'en gonflant ainsi les choses hors de proportion, nous finissons par oublier aussi que nous sommes seuls responsables de cette erreur de perspective.

Quand je sens la moutarde me monter au nez ou si je commence à me prendre trop au sérieux (ce qui m'arrive plus souvent que je ne voudrais l'admettre), le seul fait de me rappeler que la vie n'est pas un feuilleton télévisé suffit à me calmer. Je me dis quelque chose du genre : « Voilà que je remets ça ; je me fais tout un cinéma. » Presque toujours, cela coupe l'herbe sous le pied à toute tentation de pontifier et m'aide à rire de moi-même. Je « change de chaîne », je mets une sourdine à mon mélodrame personnel.

Vous avez certainement eu l'occasion de suivre certains de ces *soap operas* à la télévision. Vous avez remarqué que les personnages semblent prendre un malin plaisir à se gâcher l'existence pour de simples anicroches. Quelqu'un leur annonce une nouvelle insignifiante, leur jette un regard de travers ou flirte avec leur conjoint ? Aussitôt ils lèvent les yeux au ciel, la caméra fait un gros plan sur leur visage pendant dix secondes et ils se martèlent la poitrine :

— Ô mon Dieu, pourquoi m'as-tu abandonné ?

Puis ils rajoutent de l'huile sur le feu en allant crier sur tous les toits que « c'est vraiment trop affreux ». Bref, ils transforment délibérément leur vie en mélodrame.

La prochaine fois que vous vous sentirez stressé, essayez

cette stratégie. Rappelez-vous que la vie n'est pas un psycho-drame. Pourquoi vous obstinez-vous à jouer dans le registre de la grande tragédie ?

61

Lisez des journaux ou des livres défendant d'autres idées que les vôtres et essayez d'en retenir quelque chose

A vez-vous remarqué que presque tout ce que vous lisez ne fait que confirmer vos points de vue et votre conception de la vie ? Même chose pour vos choix de programmes radio ou télévisés. Au fond, nous nous branchons sur ces sources d'information avec l'attitude de celui qui dirait : « Je suis parfaitement d'accord avec vous, dites-m'en plus. De gauche comme de droite, croyants ou athées, pour ou contre le maïs transgénique, nous sommes tous les mêmes : nous nous forgeons une opinion et nous passons ensuite le reste de notre vie à en trouver partout la confirmation. C'est fini, nous n'en démordrons plus. Une telle rigidité est dommageable, d'abord parce que nous aurions tant à apprendre d'avis contradictoires ! Ensuite parce que cet acharnement à fermer notre cœur et notre cerveau à tout ce qui est étranger crée un profond stress interne. Un esprit borné lutte en permanence pour maintenir à bonne distance toute menace d'intrusion.

Nous sommes tous convaincus que notre façon de voir les choses est la meilleure. Pourtant, deux personnes en désaccord utilisent souvent des exemples identiques pour étayer leur point de vue – et les deux argumentations peuvent être aussi pertinentes l'une que l'autre.

Sachant cela, nous pouvons persévérer dans notre entêtement... ou bien essayer autre chose ! Quelques minutes par jour, faites l'effort de lire un article ou un livre défendant des idées à l'opposé des vôtres. Je ne vous demande pas de retourner votre veste ou de trahir vos credos les plus intimes. Vous ne ferez que vous ouvrir l'esprit et élargir vos connaissances. Cet exercice réduira le stress lié à vos efforts pour bannir toutes les idées exogènes.

Outre qu'elle développera votre curiosité intellectuelle, cette stratégie vous aidera à devenir plus tolérant. Vous deviendrez plus détendu, plus « philosophe », parce que vous comprendrez mieux la logique qui sous-tend le raisonnement d'autrui. Ma femme et moi sommes abonnés aux journaux les plus conservateurs comme aux plus radicaux des États-Unis. Ils ont tous contribué à élargir notre vision de la vie.

62

Faites une seule chose à la fois

L'autre jour, sur l'autoroute, j'ai vu un conducteur qui, sur la voie rapide, se rasait et buvait une tasse de café tout en lisant son journal ! Moi qui, le matin même, cherchais un bon exemple pour illustrer l'absurdité de nos sociétés fondées sur la vitesse... j'avais sous les yeux le meilleur condensé imaginable !

Quelle folie nous pousse à faire toujours plus d'une chose à la fois ? Nous avons des téléphones sans fil qui sont censés nous faciliter la vie, mais qui, d'une certaine façon, ne font que la compliquer. Ma femme et moi étions invités à dîner chez une amie l'autre soir. Quand elle nous a ouvert la porte, elle avait le combiné coincé entre la joue et l'épaule, une casserole à la main et une couche pour bébé dans l'autre ! Ne rions pas trop : nous aussi cumulons les tâches, ne serait-ce que lorsque nous bavardons avec quelqu'un et que notre esprit est ailleurs.

Quand vous vous attelez à plusieurs choses en même temps, il est quasiment impossible de rester en prise avec l'instant présent. Vous vous dispersez. Ainsi, non seulement vous perdez le plaisir potentiel de votre activité, mais vous devenez moins concentré et donc moins efficace.

Un exercice intéressant consiste à bloquer des périodes pendant lesquelles vous vous contraignez à ne faire qu'une seule chose à la fois. Que ce soit téléphoner, conduire, jouer avec vos enfants, bavarder avec votre conjoint ou lire un magazine. Soyez attentif à ce que vous faites. Concentrez-vous. Vous allez remarquer deux choses. Premièrement, vous prendrez plus de plaisir à votre activité, même si elle est aussi terre à terre que de faire la vaisselle ou de ranger un placard. Deuxièmement, vous serez surpris de la rapidité avec laquelle vous accomplirez ces tâches. Depuis que je sais mieux m'immerger dans l'instant présent, j'ai fait des progrès dans pratiquement tous les domaines – l'écriture, la lecture, le ménage, les échanges téléphoniques. Vous aussi le pouvez. À condition de ne faire qu'une seule chose à la fois et chaque chose en son temps.

Comptez jusqu'à dix

Quand j'étais enfant, mon père comptait toujours jusqu'à dix à voix haute chaque fois qu'il était fâché contre mes sœurs ou moi. C'était une méthode qu'il employait, à l'instar de nombreux parents, pour se calmer avant de prendre une décision (ou de nous flanquer une fessée).

J'ai perfectionné cette stratégie en y incorporant le recours à la respiration. Voici ce que je vous propose : quand vous sentez la moutarde vous monter au nez, prenez une longue inspiration et comptez « un » mentalement. Puis détendez votre corps dans l'expiration. Recommencez avec « deux », et ainsi de suite jusqu'à dix au moins (si vous êtes vraiment en colère, allez jusqu'à vingt-cinq).

Cela revient à vous vider l'esprit grâce à une version abrégée d'un exercice de méditation. La combinaison du décompte et de la respiration est si relaxante qu'il vous sera presque impossible de rester en colère quand vous aurez fini. La montée d'oxygène dans vos poumons et le temps écoulé entre votre poussée d'adrénaline et la fin de l'exercice vous permettent de prendre le recul nécessaire. Vos « montagnes » se réduisent en « taupinières ». L'exercice est aussi efficace contre le stress ou la panique. Recourez-y chaque fois que vous avez l'impression de « perdre les pédales ».

Et d'ailleurs, c'est un moyen merveilleux d'occuper une minute – que vous soyez en colère ou non. J'en ai fait une pratique quotidienne, pour le seul plaisir de la détente.

Apprenez à vivre dans l'« œil du cyclone »

L'œil du cyclone désigne le centre de la tourmente où tout reste calme, à l'abri du tourbillon. Autour de ce périmètre, tout n'est que violence et turbulences, mais là, au cœur, pas un souffle de vent. Ah, si seulement nous pouvions nous aussi rester sereins au milieu du chaos !

Eh bien, si surprenant que cela puisse paraître, il n'est pas si difficile de se placer dans l'« œil du cyclone ». Il suffit pour cela d'un peu de volonté et de pratique. Supposons, par exemple, que vous deviez vous rendre à une réunion de famille qui promet d'être orageuse. Promettez-vous de garder votre calme. Au besoin, obligez-vous à être la seule personne dans la pièce à rester maître de soi. Vous pouvez pratiquer la respiration contrôlée. Ou bien développer votre don d'écoute. Laisser les autres avoir raison si ça leur chante. L'important, c'est de comprendre que vous pouvez y arriver – pour peu que votre esprit soit fixé sur cet objectif.

En commençant par des situations somme toute « bénignes », comme une réunion de famille, un cocktail ou un goûter d'anniversaire pour vos enfants, vous vous constituerez un début de palmarès. Vous constaterez que, dans l'œil du cyclone, vous êtes plus en contact avec l'instant présent. Vous y vivrez intensément, vous en profiterez mieux. Quand vous aurez appris à gérer des événements mineurs, vous pourrez vous attaquer à des situations plus difficiles – les conflits, les coups durs, le chagrin, la douleur.

Pour le moment, commencez en douceur. Accumulez les succès et entraînez-vous sans relâche. Un beau jour, vous découvrirez que vous êtes parfaitement à l'aise dans l'œil du cyclone.

Mettez un peu de souplesse dans vos projets

Lorsque j'ai un projet en tête, il m'est assez difficile d'y renoncer sans broncher. J'ai grandi avec l'idée – respectable dans une certaine mesure – que la réussite était fille de persévérance. Mais d'un autre côté, une trop grande rigidité génère un stress important. Elle devient source d'irritation et d'insensibilité à l'égard des autres.

J'aime écrire aux petites heures du matin. Je me fixe comme but – pour ce livre par exemple – de rédiger une ou deux stratégies avant que la maisonnée s'éveille. Mais que se passe-t-il si ma fille cadette (quatre ans) ouvre les yeux plus tôt que prévu et monte me voir dans ma tanière ? Mon programme tombe dans le lac. Comment dois-je réagir ? Imaginons par ailleurs que j'aie prévu un jogging avant de me rendre au bureau. Que faire si un appel urgent m'oblige à avancer mon départ ?

Nous pourrions tous fournir une multitude d'exemples de ce type. Vos projets changent subitement, une personne n'a pas tenu sa promesse, vous avez gagné moins d'argent qu'escompté, on a modifié votre emploi du temps sans vous consulter, votre ordinateur tombe en panne, vous avez manqué votre train, etc. Vous ne devez alors vous poser qu'une question : « Qu'est-ce qui est le plus important ? »

Pour justifier notre humeur massacrante, nous répondons qu'il est normal de nous sentir contrariés quand nos projets tombent à l'eau. Tout dépend, cependant, des priorités que nous nous sommes fixées. Est-il plus important de me plier au carcan de mon agenda ou de consacrer un peu de temps à ma fille ? Se priver d'un jogging de trente minutes vaut-il vraiment la peine de me mettre en rogne ? La question de fond est la suivante : « Qu'est-ce qui compte le plus : se fixer un cap et ne jamais en démordre, ou bien apprendre à nager dans le sens du courant ? » Si vous aspirez au calme, vous devez choisir en priorité la flexibilité par opposition à la rigidité (même s'il peut y avoir des exceptions). J'ai appris aussi qu'il n'était pas inutile de prévoir un certain pourcentage de « ratés » dans mes projets. Si je leur fais une place dans mon esprit, je pourrai les accueillir avec plus de fatalisme : « C'est la vie, on n'y peut rien. »

Si vous choisissez la voie de la souplesse, les résultats ne se feront pas attendre : vous allez vous sentir plus détendu, sans pour autant sacrifier votre productivité. Vous risquez même de devenir plus créatif puisque vous n'aurez plus besoin de dépenser tant d'énergie à vous inquiéter (« Vais-je tenir mon calendrier ? ») ou à vous énerver (« À cause de cet abruti, je vais être en retard »).

J'ai appris à ne plus me ronger les sangs : même contraint de modifier mes plans, je parviens toujours à respecter mes échéances, à réaliser la plupart de mes objectifs et à honorer mes responsabilités.

Autre avantage insigne : les gens autour de vous seront eux aussi plus détendus. Ils ne se croiront plus obligés de vous approcher en marchant sur des œufs lorsque, par aventure, vos plans auront été chamboulés.

66

Pensez à ce que vous avez
plutôt qu'à ce qui vous manque

Depuis plus de dix ans que je me spécialise dans les problèmes liés au stress, une habitude m'apparaît aussi néfaste que répandue : celle qui nous pousse à focaliser sur ce que nous *voulons* plutôt que sur ce que nous *avons*. Peu importe d'ailleurs l'opulence de cette dernière catégorie : nous étendons sans cesse la liste de nos appétits, nous condamnant ainsi à la frustration perpétuelle. Car, soyez-en persuadé, la forme de logique qui vous fait dire « je serai heureux lorsque j'aurai telle ou telle chose » se répétera de façon identique, mais avec un autre objet, dès l'instant où le vœu précédent se trouvera comblé.

Un de nos amis vient d'acquérir une superbe maison. Le jour où nous sommes allés le voir dans ses murs, il nous parlait déjà de sa prochaine demeure qui, disait-il, serait « plus grande ». Il n'est pas le seul dans ce cas. On peut même avancer que nous en sommes tous là : si nous n'obtenons pas ce que nous voulons, nous nous lamentons sur tout ce qui nous manque ; et si nous l'obtenons, nous n'avons rien de plus pressé que de nous inventer un nouveau besoin. Ainsi, bien que satisfaits à répétition, nous restons malheureux. Car le bonheur fuit celui qui ne pense qu'à assouvir des désirs toujours renaissants.

Il y a pourtant une voie qui mène au bonheur. Elle se soucie moins de nos manques et réhabilite ce que nous avons sous la main. Plutôt que d'espérer changer le caractère de votre femme, pensez à ses qualités. Au lieu de vous plaindre de votre maigre salaire, réjouissez-vous d'avoir un travail. Ne rêvez plus de vacances à Tahiti, souvenez-vous comme vous vous êtes bien amusés près de chez vous. La liste est infinie ! Chaque fois que vous vous surprenez à basculer dans le piège du « je voudrais changer de vie », rattrapez-vous par la manche. Inspirez profondément et remerciez le ciel de ce qu'il vous a déjà offert. Croyez-moi : quand on se concentre sur ce que l'on a plutôt que sur ce qui manque, on finit toujours par avoir plus que l'on ne voulait ! Si vous mettez en relief les qualités de votre femme, elle vous en aimera davantage, votre union sera plus solide. Si vous appréciez votre travail au lieu de râler, vous serez plus productif... et vous finirez par avoir une augmentation ! Si vous profitez des distractions près de chez vous au lieu d'attendre les plages du Pacifique, vous vous amuserez plus souvent ! Et si vous allez un jour à Tahiti, vous y arriverez en meilleure forme...

Faites un nœud à votre mouchoir ou collez une note sur la porte de votre frigo pour ne surtout pas oublier ceci : mieux vaut penser à ce que l'on a plutôt qu'à ce qui nous manque. Votre vie vous paraîtra plus belle ainsi. Et, qui sait, vous éprouverez peut-être, pour la première fois, un sentiment de... pleine satisfaction.

67

Ignorez vos pensées négatives

On estime qu'un cerveau humain produit quelque cinquante mille pensées par jour. Une véritable usine ! Certaines de ces pensées seront positives et créatives. Malheureusement, une bonne part seront entachées de colère, de peur, de pessimisme, de mélancolie, etc. Lorsqu'on vise la paix intérieure, la question n'est pas de savoir si on va ou non avoir de mauvaises pensées – on en aura ! – mais de savoir qu'en faire.

Au fond, il n'y a que deux possibilités. Ou bien vous analysez ces élucubrations négatives (en les triturant au scalpel), ou bien vous choisissez de les ignorer (en les écartant d'une pichenette). Cette seconde option se révèle infiniment plus profitable.

Quand une pensée éclôt dans votre esprit – bonne ou mauvaise –, elle n'est encore qu'une pensée ! Autrement dit, elle ne peut vous faire aucun mal sans votre consentement. Par exemple, si votre passé évoque en vous ce genre de réflexion : « J'en veux à mes parents parce qu'ils ne m'ont pas bien élevé », vous pouvez vous la ressasser *ad nauseam,* mais sachez que ruminer sera source d'un tourment intérieur. Vous allez donner du poids à cette idée, la légitimer, jusqu'à vous persuader d'une sorte de prédestination au malheur. Inversement, vous pouvez prendre conscience que votre esprit s'apprête à fabriquer une « boule de neige » mentale, et préférer la repousser du revers de la main. Cela ne signifie pas que votre enfance n'ait pas été difficile – c'est très possible – mais dans l'instant *présent,* vous avez la faculté de choisir quelle pensée va siéger dans votre esprit.

Le même schéma s'applique aux pensées que vous avez eues ce matin, ou à celles qui vous occupaient il y a cinq minutes. Une dispute survenue au moment où vous quittiez la maison n'est plus une vraie dispute sur le chemin du bureau : ce n'est déjà qu'un souvenir dans votre esprit. Agissez de la même façon avec vos anticipations et vos appréhensions – la soirée, la semaine prochaine ou les dix ans à venir, tout cela appartient encore au futur. Dans tous les cas, si vous fermez la porte à une pensée négative, une autre plus agréable ne va pas tarder à la remplacer. Cette méthode exige un peu d'entraînement, mais le jeu en vaut la chandelle.

68

Acceptez les conseils de vos amis et de vos parents

J e suis toujours peiné de voir avec quelle réticence nous accueillons les conseils de notre entourage – de nos parents, conjoint, enfants ou amis. Au lieu de prêter une oreille attentive, nous nous refermons comme une huître, par embarras sans doute, par peur aussi mais surtout par orgueil. Tout se passe comme si nous nous disions : « Depuis le temps qu'on se fréquente, Untel n'a plus rien à m'apprendre. »

Et pourtant les personnes les plus proches sont aussi celles qui pourraient nous donner les avis les plus pertinents. Elles sont parfois capables de déceler certains de nos comportements négatifs et de nous suggérer des solutions adaptées. Par entêtement ou par fierté mal placée, nous risquons de passer à côté de recettes simples, susceptibles d'améliorer notre existence.

En ce qui me concerne, je m'efforce de rester ouvert aux suggestions de mes proches. Je vais même jusqu'à demander à certains membres de ma famille ou à quelques amis intimes :

— Dis-moi, quels sont mes défauts, mes préjugés ?

Non seulement vous placez la personne interrogée dans une position flatteuse, mais vous finissez toujours par récolter un avis précieux. C'est là un raccourci formidable vers une plus grande maturité, et pourtant presque personne ne l'emprunte. Il vous faudra certes un peu de courage et d'humilité pour vous lancer dans cette voie, surtout si vous avez naturellement tendance à confondre recommandations et critiques, ou à ne jamais écouter certains membres de votre famille. Imaginez leur surprise quand vous allez leur demander leur opinion, en toute sincérité.

Choisissez un sujet pour lequel votre « conseiller » est quali-fié. Par exemple, je demande régulièrement des conseils d'or-dre financier à mon père. Et même s'il me sermonne un peu, je ne le regrette jamais. Un petit sermon vaut mieux qu'une grosse déconvenue...

69

Soyez heureux là où vous êtes

Nous renvoyons toujours notre bonheur à plus tard. Inconsciemment sans doute, nous essayons de nous convaincre qu'« un jour, je serai heureux ». Oui, promis, juré, quand toutes les factures seront payées et les hypothèques levées, quand nous aurons fini nos études, décroché notre premier emploi ou une promotion, oui, alors nous serons heureux ! Pas de doute, la vie sera plus belle quand nous serons mariés, quand nous aurons un enfant, peut-être un deuxième. Ensuite nous nous plaignons que nos chérubins sont trop envahissants, pas assez autonomes – nous attendrons donc qu'ils aient l'âge de raison... Puis on s'arrache les cheveux pendant toute leur adolescence, impatients de les voir sortir de cette période ingrate. C'est décidé, cochon qui s'en dédit, notre vie sera enfin sur des rails quand notre femme aura fini sa thèse de doctorat, ou quand nous aurons une voiture neuve, ou quand nous pourrons prendre des vacances au bord de la mer, ou quand nous partirons à la retraite. Et ainsi de suite !

Pendant ce temps, la vie continue, le temps passe. Croyez-moi, il n'y a pas meilleur moment pour être heureux que le présent. Si ce n'est pas aujourd'hui, alors quand ? La vie sera toujours pleine de nouveaux défis à surmonter. Mieux vaut l'admettre sans tarder et s'efforcer d'être heureux malgré tout. J'aime beaucoup cette citation d'Alfred D'Souza : « Longtemps j'ai cru que ma vie allait bientôt démarrer – la vraie vie. Mais chaque fois un nouvel obstacle se présentait sur ma route, une priorité à régler, une affaire en cours, une dette à payer. La vie commencerait après. Et puis un beau jour, je me suis rendu compte que ces obstacles étaient ma vie. » Cet éclairage m'a permis de comprendre qu'il n'y avait pas à proprement parler de chemin vers le bonheur. Le bonheur est le chemin.

70

N'oubliez jamais que l'on est ce que l'on fait

L a persévérance et la régularité sont les principes de base de toutes les voies spirituelles et méditatives. En d'autres termes, vous deviendrez un jour ce que vous pratiquez avec le plus d'assiduité. Vous stressez facilement dès que les choses ne tournent pas rond ? Vous déclenchez les hostilités à la moindre critique ? Vous ne supportez pas la contradiction ? Face aux difficultés, vous laissez grossir votre « boule de neige » mentale ? Vous considérez l'existence comme un parcours du combattant ? Alors j'ai le regret de vous dire que votre vie deviendra peu à peu le reflet exact de vos habitudes négatives. À force d'être hypocondriaque, on finit par tomber vraiment malade !

Bien sûr, il ne s'agit pas, par contraste, de transformer notre vie en un paradis blanc où nous volerions de succès en lustrations, purs et irréprochables. Nous savons que la perfection n'existe pas. Pour autant, restez vigilant. Surveillez vos faits et gestes quotidiens, car ils ont un impact sur votre état d'esprit. Quels sujets occupent régulièrement vos réflexions ? À quoi consacrez-vous votre temps libre ? Cultivez-vous des habitudes qui sont en concordance avec vos desseins intimes ? Votre mode de vie est-il en harmonie avec ce que vous prétendez attendre de l'existence ?

Le seul fait de vous poser ces questions capitales, et d'y répondre sincèrement, vous aidera à déterminer quelles stratégies vous seront le plus profitables. Vous vous dites souvent : « J'aimerais avoir deux heures à moi tous les soirs » ou « J'ai toujours voulu apprendre la méditation mais je n'ai pas une minute de libre » ? C'est ainsi : les gens passent plus de temps à laver leur voiture ou à ingurgiter des rediffusions soporifiques à la télé qu'ils n'en consacrent à des activités vraiment épanouissantes.

Gardez à l'esprit que l'on est toujours ce que l'on fait : vous aurez peut-être plus à cœur de changer certaines de vos habitudes.

71

Calmez votre esprit

On connaît la belle citation de Pascal : « Tout le malheur de l'homme vient d'une seule chose, qui est de ne savoir pas demeurer en repos dans une chambre. » Je n'irai sans doute pas aussi loin, mais je suis convaincu en revanche qu'un mental serein est le fondement même de la paix intérieure. Et cette dernière se traduit toujours par la paix extérieure...

Il existe de nombreuses méthodes destinées à calmer l'esprit – la réflexion, la respiration, la contemplation, la visualisation – mais la plus universellement reconnue est certainement la méditation. Il vous suffit de cinq à dix minutes par jour. Intégrée à votre vie quotidienne, cette pratique vous rendra moins irritable, et vous apportera une plus grande hauteur de vue : vos « montagnes » seront ramenées à leurs justes proportions, celles de simples « taupinières ». La méditation vous offre l'expérience de la relaxation absolue. Elle vous enseigne à être en paix avec vous-même.

Là encore, il existe plusieurs formes de méditations. Toutes consistent à se vider l'esprit. En général, elles se pratiquent seul, dans un environnement calme. Fermez les yeux et concentrez-vous sur votre respiration – inspiration, expiration... Lorsqu'une pensée se présente au portillon, repoussez-la gentiment et ramenez votre attention sur votre rythme respiratoire.

Méditez régulièrement. Au fil des semaines, l'exercice vous deviendra familier. Il n'est pas pour autant facile. Vous remarquerez que votre cerveau est assailli de pensées dès que vous tentez de le calmer. Même si certains d'entre nous ont de nettes prédispositions au vide mental, il est rare qu'un débutant réussisse à fixer son attention pendant plus de quelques secondes. Le meilleur moyen de progresser ? La patience et l'assiduité. Ne vous découragez pas. Quelques minutes par jour vous prodigueront des trésors, au fil du temps. Vous pouvez vous inscrire à un cours de méditation, apprendre dans un livre ou, mieux encore, avec une cassette audio (il n'est pas commode de lire les yeux fermés...). Quoi qu'il en soit, je ne connais pas beaucoup de personnes, parmi celles que je considère comme en paix avec elles-mêmes, qui n'aient pas expérimenté la méditation, sous une forme ou une autre.

Faites du yoga !

À l'instar de la méditation, le yoga est une méthode répandue et chaleureusement recommandée à tous ceux qui aspirent à la sérénité. Depuis des siècles, cette discipline est utilisée pour se libérer l'esprit. Elle ne demande que quelques minutes par jour. Qui plus est, des personnes de tous âges et de toute condition physique peuvent la pratiquer. Un jour, j'ai suivi un cours dans une classe qui comprenait un garçon de dix ans et un homme de quatre-vingt-sept ans ! Le yoga est par essence non compétitif : vous travaillez et progressez à votre rythme.

Le yoga repose sur une série d'étirements, du plus simple au plus difficile. Destinés à ouvrir le corps et à fortifier la colonne vertébrale, ces étirements s'intéressent en premier lieu à des zones spécifiques, traditionnellement tendues – la nuque, le dos, les reins, les jambes, etc. Pendant toute la durée de l'exercice, vous restez bien concentré sur vos gestes.

Les effets du yoga sont vraiment spectaculaires. Au bout de quelques minutes seulement, vous vous sentez plus souple, plus « vivant », l'esprit clair. Ces sensations perdurent pendant le reste de la journée.

Longtemps j'ai cru que j'étais trop occupé pour faire du yoga. Je me disais que je n'aurais jamais le temps. Je suis maintenant persuadé du contraire – je ne peux pas me payer le luxe de rater une seule séance de yoga ! C'est trop important pour mon équilibre. Cela m'aide à rester jeune et plein de sève. C'est aussi une merveilleuse occasion de passer un moment entre amis ou en famille. Plutôt que de regarder des insanités à la télévision, mes deux filles et moi glissons une cassette de yoga dans le magnétoscope et nous consacrons quelques minutes à nos étirements.

Comme pour la méditation, il est facile de trouver un cours de yoga près de chez vous, dans un centre sportif ou culturel. Vous pouvez aussi acheter des cassettes vidéo ou vous abonner à diverses revues.

Apprenez à rendre service

Pour développer son altruisme, il ne faut pas hésiter à mettre la main à la pâte. Pourtant, il n'y a rien de particulier à faire, aucune ordonnance à suivre à la lettre. Au contraire, la plupart des vrais actes de générosité ont pour point commun leur caractère spontané et gratuit. Ils sont le fait d'individus qui ont réussi à intégrer la notion de service dans leur comportement quotidien.

Plusieurs psychologues et philosophes dont j'ai suivi l'enseignement m'ont suggéré de commencer la journée en me demandant toujours :

— Comment puis-je rendre service ?

Chaque fois que je prends le temps de me poser cette question, les propositions n'arrêtent pas de surgir à tout moment de la journée.

Si vous avez vraiment envie de vous rendre utile, vous n'aurez que l'embarras du choix. En tout cas, ce ne sont pas les occasions qui me manquent : ouvrir ma porte à un vieil ami (ou même à un étranger) en détresse ; céder ma place à une vieille dame dans le bus ou aider un gamin à grimper sur un toboggan, donner une conférence, écrire un livre, assurer quelques heures de bénévolat dans l'école de ma fille, envoyer un chèque à une œuvre de charité ou ramasser des ordures dans ma rue...

L'essentiel, à mon sens, c'est de se rappeler qu'une bonne action ne peut et ne doit pas être un acte isolé. Il ne s'agit pas de rendre service pour se demander ensuite pourquoi les autres n'en font pas autant (et surtout pas à nous !) mais, au contraire, c'est un processus à vie, une manière de voir le monde. La poubelle est pleine ? Alors allez-y, sortez-la même si ce n'est pas votre tour. Un de vos amis devient grognon ? Il a peut-être besoin de réconfort et d'écoute. Vous avez entendu parler d'une organisation humanitaire en proie à des difficultés budgétaires ? Essayez de faire un petit effort supplémentaire ce mois-ci...

Le meilleur moyen de rendre service est souvent le plus simple – élans de générosité minuscules, qui passent souvent inaperçus, mais que je peux accomplir de façon quotidienne : soutenir ma femme dans un de ses nouveaux projets, ou simplement prendre le temps de l'écouter. Je sais qu'il me reste encore bien du chemin avant de pouvoir me considérer comme une personne véritablement altruiste. Cependant, depuis que j'essaie d'incorporer la générosité à ma manière d'être, je sens que ma vie est plus pleine, plus harmonieuse. Un vieil adage prétend que « donner est une récompense en soi ». Rien n'est plus vrai. Donner, c'est aussi recevoir. Et ce que vous recevez est directement proportionnel à ce que vous donnez. Plus vous serez généreux (selon des modes déterminés par vous-même), plus vous accumulerez les sensations de paix et de joie. Ainsi tout le monde y gagne, et vous le premier.

74

Rendez service sans attendre de retour

Très souvent, consciemment ou pas, nous attendons quelque chose des autres, surtout quand nous leur avons rendu service. « J'ai nettoyé la salle de bains, elle peut bien ranger la cuisine. » « Je me suis occupé du chien la semaine dernière, elle pourrait se porter volontaire pour cette semaine. » Nous semblons tenir un compte exact de nos bonnes actions, comme si nous avions oublié l'adage selon lequel « donner est une récompense en soi ».

Rendez service, point final. Vous y gagnerez en sérénité. De même que l'activité musculaire sécrète dans votre cerveau de l'endorphine, source de bien-être physique, vos actes de générosité libèrent l'équivalent émotionnel de cette substance. Là est votre récompense, dans la conscience d'avoir accompli une bonne action. Vous n'avez besoin de rien en retour, pas même d'un « merci ». Abstenez-vous également de répandre aux quatre vents la nouvelle de votre bienveillance...

Malheureusement, notre attente de réciprocité vient tout gâcher. Elle brouille nos sentiments positifs, nous place en situation de frustration. La solution ? Guettez les pensées du type « je veux quelque chose en retour » et rejetez-les. En l'absence de ces interférences, vos sentiments positifs régneront en maîtres.

Réfléchissez à un vrai service à rendre et n'espérez rien en retour de la personne que vous allez aider : vous pouvez, par exemple, surprendre votre femme en rangeant le garage ou votre bureau, tondre la pelouse du voisin, ou rentrer tôt du travail pour vous occuper des enfants. Essayez de percevoir les effets que ce geste gratuit produit en vous. Avec de la pratique, vous découvrirez que cette sensation est en elle-même la plus belle des récompenses.

Considérez vos problèmes comme une source potentielle d'enseignement

S i vous demandez aux gens quelle est la cause première de leur stress, ils vous répondront naturellement leurs « soucis ». Et dans une certaine mesure, ils n'ont pas tort. Mais il serait toutefois plus exact de dire que notre stress dépend plus de notre façon d'aborder les problèmes que de ces problèmes en eux-mêmes. En d'autres termes, ne faisons-nous pas tout un plat d'une bricole qui n'en mérite pas autant ? Nos ennuis sont-ils à nos yeux des catastrophes ou des sources potentielles d'enseignement ?

Nos problèmes prennent des formes et des degrés de gravité divers, mais ils ont au moins un point commun : ils nous confrontent à une situation que nous souhaiterions autre. Plus nous voulons nous en débarrasser, plus ils nous semblent sérieux et plus ils nous causent de stress.

Heureusement, l'inverse est aussi vrai. Quand nous acceptons nos difficultés comme une part inévitable de la vie, quand nous y voyons une source possible d'enseignement, tout se passe comme si un poids nous était ôté des épaules.

Pensez à un souci qui vous tracasse depuis quelque temps déjà. Comment l'avez-vous abordé jusqu'à présent ? Vous l'avez sans doute disséqué, étudié sur toutes les coutures, en vain. Où vous a mené cette guerre de tranchées ? Au bout du compte, vous récoltez plus de stress et de confusion.

À présent, abordez le problème sous un angle nouveau. Plutôt que de lui résister, prenez-le à bras-le-corps. Tenez-le mentalement proche de votre cœur. Demandez-vous quelle leçon vous pourriez en tirer. Pourrait-il vous apprendre à être plus patient ? Plus prévoyant ? Qu'est-ce qui est véritablement en jeu ? Votre jalousie, votre avarice, votre manque de confiance en vous, votre aptitude au pardon ? Quelle que soit la nature profonde de vos ennuis, vous pouvez certainement les envisager de façon moins dramatique et, en les dédramatisant, en tirer les leçons qui s'imposent.

Essayez cette stratégie. Vous consentirez avec moi, j'en suis sûr, que la plupart de nos problèmes ne sont pas aussi graves que nous le pensons. En général, dès que nous avons retenu ce que nous devions en apprendre, ils s'éloignent comme par enchantement...

76

Apprenez à dire « je ne sais pas »

Il était une fois dans un village, un vieux sage... Les habitants avaient coutume de le consulter pour apaiser leurs doutes et leurs inquiétudes.

Un jour, un paysan courut le trouver et lui dit d'une voix pressante :

— Vieux sage, aide-moi ! Une chose affreuse vient de m'arriver. Mon bœuf est mort et je n'ai rien d'autre pour tirer la charrue. C'est la pire chose qui pouvait se produire !

— Peut-être que oui... Peut-être que non.

Le paysan regagna en toute hâte sa chaumière et annonça à ses voisins que leur sage était devenu fou. Comment ne voyait-il pas que la perte de cette bête de trait était la pire des catastrophes ?

Le lendemain, le paysan aperçut près de chez lui un cheval jeune et robuste. Il lui vint l'idée de s'en emparer pour remplacer son bœuf. Aussitôt dit, aussitôt fait. Quel bonheur ! Jamais labour ne parut aussi facile ! Ravi, le paysan retourna auprès du vieux sage pour lui présenter ses excuses.

— Tu avais raison, lui dit-il. La mort de mon bœuf n'était pas la pire des catastrophes. En fait, c'était un mal pour un bien. Car sinon, je n'aurais jamais attrapé ce cheval. C'est certainement la meilleure chose qui pouvait m'arriver...

— Peut-être que oui. Peut-être que non.

« Voilà qu'il remet ça », songea le paysan. Décidément, le vieux n'avait plus toute sa tête.

Quelques jours plus tard, le fils du paysan fit une chute en montant le cheval. Une jambe cassée. Cette blessure lui vaudrait d'être immobilisé au moment des moissons. Le paysan s'arrachait les cheveux.

— Nous allons mourir de faim !

Il courut derechef voir le vieux sage.

— Comment savais-tu que ce maudit cheval était un cadeau empoisonné ? Tu avais encore vu juste. Mon fils s'est blessé et il ne pourra pas m'aider pour la récolte. Cette fois, pas de doute, c'est bien la pire tuile qui pouvait me tomber sur la tête. Tu es d'accord, n'est-ce pas ?

Mais comme les fois précédentes, le vieux sage le regarda tranquillement et lui répondit :

— Peut-être que oui. Peut-être que non.

Furieux de cette ambiguïté récurrente, le paysan rentra chez lui en fulminant.

Le lendemain, des troupes investirent le village et enrôlèrent de force tous les jeunes gens. La guerre venait d'éclater. Incapable de se tenir debout, le fils du fermier fut le seul garçon du village à ne pas partir. Il allait survivre, alors que les camarades de son âge avaient toutes les chances de mourir au combat.

La morale de cette histoire me paraît édifiante. Nous ne savons jamais ce qui va arriver – nous en sommes réduits à spéculer. Et très souvent, nous nous montons la tête. À tout propos, nous nous inventons un avenir radieux ou parsemé de catastrophes. La plupart du temps, rien de tout cela ne se confirme. Lorsqu'on reste calme et ouvert à toute éventualité, on est en droit de penser qu'au bout du compte, tout ira pour le mieux. Enfin, peut-être que oui, peut-être que non...

77

Acceptez la totalité de votre être

Une patiente se désolait un jour dans mon cabinet :
– Je suis une catastrophe ambulante.
Du tac au tac, je lui ai répondu :
— Mais j'en suis une autre !
Dans le fond, nous sommes tous des « catastrophes » même si nous refusons de l'admettre. Nous préférons nier les traits de caractère qui nous semblent embarrassants ou exécrables plutôt que d'envisager la possibilité que nous ne soyons pas parfaits.

Pourquoi me paraît-il au contraire très important de prendre en compte tous les aspects de votre personnalité ? Car cette approche globale vous permet d'être plus tolérant et plus généreux avec vous-même. Quand vous souffrez d'un manque d'assurance, au lieu de faire semblant d'être en pleine possession de vos moyens, dites : « J'ai peur et ce n'est pas grave. » Si vous vous sentez jaloux, furieux ou mélancolique, plutôt que de nier ces émotions, plutôt que de chercher à les enfouir, laissez-les sortir : une fois exprimées, elles se dissiperont sans peine. Ne grossissez pas démesurément vos sentiments négatifs, et ils cesseront de vous terroriser. Si vous embrassez la totalité de votre être, plus besoin de jouer la comédie du bonheur sans tache : vous pouvez vous accepter tel que vous êtes.

Quand vous intégrez les imperfections de votre personnalité, une sorte de miracle s'accomplit. À côté de ces défauts, vous allez voir les aspects positifs prendre soudain plus de relief. Vous hésitiez à vous en attribuer le mérite, ou bien vous n'en aviez pas même conscience ? Et pourtant vos qualités sont là, elles ressortent plus éclatantes encore. Bien sûr, parfois, vous agissez par intérêt personnel, mais en d'autres occasions vous êtes d'un altruisme magnifique. Il vous arrive d'être pusillanime, ou vous sursautez pour un rien, mais la plupart du temps vous faites preuve de courage. Et si vous avez tendance à vous crisper facilement, vous savez aussi vous montrer détendu.

S'ouvrir à la totalité de son être, c'est clamer au monde : « Je ne suis peut-être pas parfait, mais je suis très bien comme je suis. » Quand vos défauts resurgissent, ne les bannissez pas, ils font partie de vous. N'oubliez pas que l'erreur est humaine. Alors plutôt que de vous juger de manière sévère et expéditive, essayez de vous traiter avec amour et tolérance. Vous êtes peut-être une « catastrophe ambulante » mais rassurez-vous : nous en sommes tous là.

78

Donnez du mou dans la corde

Les stratégies présentées ici se proposent toutes de développer en vous ces vertus admirables que sont la sérénité
et l'amour. Dans ce grand puzzle, il est une pièce essentielle que vous ne devez jamais oublier : le but est de rester
calme ! Alors ne faites pas une fixation sur ces exercices, ne
vous montez pas la tête si, dans un premier temps, ils vous
résistent. Mettez ces stratégies en pratique, gardez-les à l'esprit,
mais sans pour autant viser la perfection. Bref, laissez un peu
de mou dans la corde ! Il vous arrivera souvent de perdre de
vue votre objectif : vous allez redevenir crispé, irritable,
stressé, etc. Il faudra vous y faire. Quand cela vous arrive, ne
paniquez pas. La vie est un chemin – nous faisons un pas après
l'autre. Quand vous lâchez le fil, vous pouvez toujours recom-
mencer...

Ceux qui aspirent à une vie plus harmonieuse commettent
presque toujours cette erreur : ils accordent trop d'importance
à leurs défaillances et à leurs rechutes. Il vaut bien mieux les
considérer comme des occasions d'apprendre, des « poteaux
indicateurs » sur la route de votre épanouissement. Dites-
vous : « Aïe, j'ai fait une boulette. La prochaine fois, je m'y
prendrai mieux. » Au fil du temps, vous observerez un changement radical dans les réponses que vous apportez à la vie.
Mais Rome ne s'est pas faite en un jour...

Un jour, on m'a proposé un titre de livre dont la formule,
assez amusante, résume bien cette stratégie : « Je ne suis pas
parfait, vous n'êtes pas parfaits, et c'est parfait comme cela ! »

Bref ne vous mettez pas martel en tête. Personne ne réussit
jamais le sans-faute. Très peu en approchent. L'important, c'est
de faire de son mieux et de suivre la bonne direction. Quand

vous aurez appris à vous aimer, vous serez bien parti pour une vie plus heureuse même si, à l'occasion, vos erreurs de parcours viennent rappeler... que vous êtes humain.

N'accusez plus les autres

Dès que quelque chose cloche, nous avons naturellement tendance à nous défausser : c'est toujours « la faute au voisin ». Et si ce n'est lui, c'est donc son frère. Regardez autour de vous, et vous verrez ce réflexe presque partout en action. Un objet a disparu ? Quelqu'un l'aura déplacé. La voiture ne marche pas ? C'est le mécanicien qui a mal fait son travail. Vos dépenses excèdent vos revenus ? Votre femme est une flambeuse. La maison est mal rangée ? Décidément, vous êtes le seul à y mettre du vôtre, à part vous, personne n'en fiche une rame. Un projet a pris du retard ? Vos collègues de bureau n'ont pas assuré leur part de boulot. Etc.

Ce type de mentalité est devenu extrêmement courant de nos jours. Sur un plan personnel, cela nous entraîne à croire que nous ne sommes jamais entièrement responsables ni de nos actes ni de nos problèmes. Sur un plan plus général, cela conduit certains à mettre tous les maux dont nous souffrons sur le dos de la « société ». Des criminels en profitent même pour s'inventer des alibis grotesques qui leur permettent d'échapper à la loi. Quand on prend l'habitude de montrer les autres du doigt, on en vient vite à leur faire grief de sa colère, de ses frustrations, de ses échecs, de son stress et de son malheur.

Sur le plan personnel, il est impossible d'être heureux lorsqu'on reporte tous les blâmes sur son entourage. Certes, il arrive que nos proches contribuent à nos difficultés, mais c'est à nous d'être à la hauteur et de prendre en main notre bonheur. Les circonstances ne font pas l'homme, elles le révèlent.

Tentez l'expérience. Surveillez ce qui se passe quand vous cessez de faire porter le chapeau aux autres pour tout et n'importe quoi. Il ne s'agit pas, bien sûr, d'aller à l'autre extrême et de les dédouaner de tous les actes répréhensibles qu'ils peuvent commettre. Il s'agit de revendiquer la pleine responsabilité de votre bonheur et de vos réactions. Quand la maison est en chantier, plutôt que d'en imputer la faute à votre femme ou à vos enfants, allez-y, rangez ! Quand votre ménage vit au-dessus de ses moyens, essayez de voir dans quel secteur *vous* pouvez réaliser quelques économies. Mais surtout, lorsque vous avez l'impression de toucher le fond, n'attendez pas qu'on vous lance une bouée : il faut savoir nager !

Charger de torts son entourage draine une énergie mentale considérable. C'est une forme de pensée génératrice de stress et de mal-être, qui vous condamne à l'impuissance puisqu'elle soumet votre destin au comportement d'un autre – sur lequel vous n'avez aucune prise ! Cessez de vous en prendre au monde et vous recouvrerez aussitôt votre libre initiative. Vous allez redevenir un « décideur ». Vous aurez à l'esprit que vous jouez un rôle déterminant dans l'élaboration de sentiments positifs. La vie est beaucoup plus gaie quand on arrête de chercher des poux dans la tête des autres. Assumez, vous m'en direz des nouvelles.

80

Levez-vous avec les poules !

V oici une stratégie qui a permis à bon nombre de mes patients de trouver à la fois une certaine quiétude et une vie plus riche de sens.

Le matin, la plupart des gens tombent du lit, sautent sous la douche puis dans leurs vêtements, avalent une tasse de café et prennent la porte. À la fin de la journée, ils rentrent du travail le nez par terre, épuisés. Même chose ou presque pour les mères au foyer. À peine levées, elles doivent s'occuper des enfants, puis de la maison, c'est-à-dire du confort de tous...

Que vous travailliez à l'extérieur ou chez vous, lorsque la journée est finie, vous êtes souvent trop fatigué pour profiter du peu de temps qui vous reste. Vous optez alors pour la solution de facilité : « Le sommeil me redonnera des forces. » Autrement dit, vous passez votre temps libre à dormir ! À longueur de mois et d'années, ce rythme crée en vous un manque profond. Non, la vie ne peut se résumer à travailler, à s'occuper des enfants et à dormir !

Essayez de porter un regard différent sur votre fatigue : le manque d'épanouissement personnel et la sensation d'être constamment débordé ne contribuent-ils pas à la renforcer ? Contrairement à ce qu'on croit généralement, un peu moins de sommeil et un peu plus de temps pour vous pourraient bien être le remède idéal à votre problème.

Une heure ou deux privilégiées – *avant même* de commencer la journée –, voilà un moyen formidable d'améliorer votre vie. En ce qui me concerne, je me lève entre 3 et 4 heures du matin. Après avoir siroté tranquillement une tasse de café, je fais une petite séance de yoga et une autre de méditation. Puis je monte dans mon bureau pour écrire. Ou bien je lis un chapitre ou deux d'un livre en cours. Parfois, je reste assis quelques minutes à ne rien faire. Presque toujours, je marque une pause pour regarder le soleil se lever par-dessus la montagne. Le téléphone ne sonne jamais, personne ne me demande rien, et je n'ai aucune obligation dans mon programme. C'est incontestablement le moment le plus calme de la journée.

Lorsque ma femme et mes deux filles se lèvent, j'ai l'impression d'avoir eu ma dose de liberté et de loisirs. Quelles que soient par ailleurs les obligations qui m'attendent... Je ne me sens pas volé, je n'ai pas comme beaucoup la sensation que ma vie ne m'appartient plus. Cela me rend plus disponible pour ma famille, mais aussi pour mes patients et tous ceux qui ont besoin de moi.

De nombreux patients m'ont dit que le seul fait de devenir matinal avait produit un changement radical dans leur vie. Pour la première fois, ils pouvaient se consacrer à des activités sans cesse repoussées : tout à coup, ils lisaient des livres, ils pratiquaient la méditation, ils admiraient le lever du soleil. La plénitude que vous ressentez compense largement le sommeil manquant. Au pire, éteignez la télévision une ou deux heures plus tôt le soir et allez vous coucher... Le monde appartient à ceux qui se lèvent tôt.

Rendez de petits services

Mère Teresa aimait à le répéter : « L'homme ne peut pas accomplir de grandes choses sur cette terre. Mais il peut accomplir de petites choses avec amour. »

Il arrive souvent, en effet, que nos grandioses projets d'avenir nous empêchent d'entreprendre aujourd'hui des actes plus modestes. Un ami me disait récemment :

— Je voudrais bien me rendre utile, mais je ne peux rien pour le moment. Un jour, quand je serai plus à l'aise, je ferai des tas de choses pour les pauvres.

En attendant, il y a des clochards qui crèvent de faim dans nos rues, des vieillards qui auraient besoin de compagnie, des mères qui n'arrivent pas à élever leurs enfants, des analphabètes, des voisins dont la maison mériterait un bon coup de peinture, des papiers gras qui salissent nos parcs, des désespérés qui ont besoin d'être écoutés, etc.

Mère Teresa avait raison. On ne parviendra peut-être pas à changer le monde, mais l'erreur consiste précisément à viser si haut. Nous devons nous concentrer sur ces actes de générosité infimes – et donc faciles à mettre en œuvre. En ce qui me concerne, j'essaie de développer mes propres rituels d'entraide – des gestes gratuits qui tous m'apportent une grande satisfaction. Souvent, les dons les plus appréciés ne sont pas les millions versés par une quelconque multinationale mais l'heure de bénévolat dans une maison de retraite ou le billet de cinquante francs offert par une personne aux maigres ressources.

Si nous pensons au peu d'impact que cette bonté de « rapiéçage », au coup par coup, aura sur la misère à l'échelle planétaire, nous sombrerons certainement dans le découragement... et puisque c'est sans espoir, nous aurons trouvé un excellent prétexte pour ne rien faire du tout ! Si, au contraire, nous prenons la peine d'apporter notre aide, si modeste soit-elle, nous ressentirons la joie de donner et nous contribuerons à rendre le monde – un tant soit peu – meilleur.

Rappelez-vous : dans cent ans, un grand coup de balai !

Mon amie Patti m'a transmis récemment ce conseil plein de sagesse qu'elle a puisé chez un de ses auteurs fétiches. Il m'aide à mettre les choses en perspective.

À l'échelle de la planète, un siècle n'est qu'un court laps de temps. Mais dans un siècle, nous aurons tous disparu. Nous aurons quitté cette terre. Cette idée peut nous donner le recul nécessaire pour gérer ce que nous percevons aujourd'hui comme des crises ou des moments de stress.

Vous avez un pneu à plat ou vous perdez vos clés : quelle importance cela aura-t-il dans cent ans ? Quelqu'un vous a joué un sale tour ou vous avez passé une nuit blanche à travailler : quel souvenir en restera-t-il ? Quelle importance si votre maison n'est pas bien rangée ou votre lave-linge en panne ? Supposons que vous ne puissiez pas vous offrir des vacances méritées, un appartement plus spacieux ou la voiture de vos rêves ? Tous ces espoirs déçus prennent un drôle de coup de vieux quand on les examine à l'aune du siècle...

Ce matin, je me suis trouvé à une sorte de « carrefour mental » : j'étais sur le point de me mettre en colère pour un incident mineur au bureau. Suite à une erreur dans mon planning, deux patients sont arrivés en même temps pour le même rendez-vous. Pour ne pas stresser ni m'énerver, je me suis aussitôt rappelé que dans cent ans, il ne resterait strictement rien de ce malentendu ! J'en ai donc calmement assumé la responsabilité et l'un des patients a volontiers accepté de décaler son rendez-vous. La « taupinière » n'a pas eu le temps de se faire aussi grosse que la « montagne »...

83

Décoincez-vous !

Nous sommes tous devenus si sérieux ! ma fille aînée me dit souvent :

— Papa, attention, tu as encore ton air soucieux...

Les gens sont si contractés qu'un rien les excède – un retard de cinq minutes à un rendez-vous, un embouteillage, un regard de trop ou un mot de travers, les factures dans la boîte aux lettres, les files d'attente, un rôti brûlé, etc.

Pourquoi une telle tension ? Simplement parce que nous avons le plus grand mal à accepter que la vie ne soit pas à la hauteur de nos espérances. Benjamin Franklin disait : « Nos vues étroites, nos espoirs et nos appréhensions sont notre seule mesure ; si les circonstances ne correspondent pas à notre attente, elles deviennent des obstacles. » Nous passons notre temps à vouloir que les objets, les hommes et les événements se plient à nos désirs ; et quand ils s'y montrent rebelles, nous endurons le martyre.

Le premier pas pour guérir est d'admettre le problème. Il faut avoir la volonté de changer. Reconnaissez que cette raideur, ce sérieux que vous affichez trop souvent sont largement votre création : cela résulte de votre façon d'aborder et d'organiser votre vie.

Ensuite, vous devez prendre conscience du lien direct qui s'établit entre vos attentes et votre taux de frustration. Quand vous espérez telle chose et que la réalité vous déçoit, vous éprouvez de la colère et du dépit. Au contraire, acceptez la vie telle qu'elle est, et vous serez libre. Plus vous vous accrocherez à vos attentes, plus vous serez tendu. « Lâcher prise », c'est comme lâcher du lest : il s'ensuit toujours une plus grande légèreté !

Un bon exercice consiste à aborder une journée sans attentes particulières. N'espérez pas que les gens soient aimables. S'ils ne le sont pas, vous ne serez pas surpris. S'ils le sont, vous serez enchanté. Ne souhaitez pas que votre journée soit dépourvue d'ennuis, et quand les problèmes se présenteront, dites-vous : « Ah, encore une haie à sauter. » Et vous l'enjamberez sans changer d'allure ! En abordant la journée de cette manière, vous allez vous faciliter la vie. Bientôt, avec un peu d'entraînement, vous pourrez égayer votre existence tout entière.

84

Soignez une plante

De prime abord, cela peut paraître une idée saugrenue ou superficielle. Quel bien peut-il y avoir à s'occuper d'une plante verte ?

Un des principaux objectifs de la vie spirituelle et une des conditions de la sérénité n'est autre que l'amour désintéressé. Le problème, c'est qu'il est très difficile d'aimer une personne – quelle qu'elle soit – de manière totalement gratuite. Tôt ou tard, l'objet de notre adoration finit toujours par dire ou faire la chose qu'il ne fallait pas. Il déçoit nos attentes. Dans notre colère, nous mettons alors des conditions à notre amour : « Je t'aimerai si tu changes. Tu dois faire ce que je te dis. »

Certains arrivent mieux à aimer les animaux que les humains. Pourtant, là non plus, le désintéressement complet n'est pas facile. Que se passera-t-il lorsque votre chien vous réveillera en aboyant sans raison au beau milieu de la nuit ou se soulagera sur votre tapis en polypropylène thermofixé ? Aurez-vous autant d'affection pour lui ? Mes enfants ont un lapin nain. J'ai eu beaucoup de mal à apprécier cette bestiole le jour où elle s'est fait les dents sur mon portail en bois sculpté, représentant le débarquement du *Mayflower* sur la pointe de Cape Cod (avec ses cent deux colons) !

Les plantes, elles, sont beaucoup plus faciles à aimer « telles quelles ». L'entretien d'un thuya ou d'un cyclamen vous offre ainsi une excellente occasion de pratiquer l'amour désintéressé.

Pourquoi ce dernier est-il préconisé par toutes les religions à travers le monde ? À cause de son pouvoir de transfiguration. Il emplit de paix celui qui donne comme celui qui reçoit.

Choisissez une plante, d'intérieur ou d'extérieur, que vous irez voir chaque jour. Soignez-la comme un bébé (c'est plus facile qu'un nourrisson – pas de pleurs, pas de couches à changer). Parlez à votre plante, dites-lui combien vous l'aimez. Aimez-la sans condition, qu'elle bourgeonne ou qu'elle perde ses feuilles. Soyez attentif à ce que vous éprouvez en lui offrant votre amour : vous ne ressentez ni agitation, ni irritation, ni stress. Vous êtes dans une bulle privilégiée. Répétez ces gestes chaque fois que vous voyez votre plante – au moins une fois par jour.

Au bout d'un certain temps, vous serez capable d'élargir cet amour au-delà de votre compagnon végétal. Lorsque vous aurez éprouvé la douceur d'un tel sentiment, vous n'aurez de cesse de l'offrir aux personnes de votre entourage. Mais rappelez-vous : ne leur demandez pas de changer pour mériter toute votre attention. Aimez-les comme elles sont. Ainsi votre plante se sera avérée un merveilleux professeur : elle vous aura appris la puissance de l'amour.

Modifiez votre approche des problèmes

L es obstacles font partie de la vie. Le vrai bonheur n'intervient pas quand nous sommes débarrassés de tous nos problèmes, mais quand nous changeons notre rapport à eux, et que nous réussissons enfin à les considérer comme des moyens d'apprendre (la patience, l'humilité, etc.).

Bien sûr, certains de nos soucis sont réels et ont besoin d'être résolus. D'autres, en revanche, ont été créés par notre refus de prendre l'existence telle qu'elle est. La paix intérieure s'atteint lorsqu'on accepte les contradictions inhérentes à la vie – plaisir et douleur, succès et échec, joie et chagrin, naissance et mort...

Dans la tradition bouddhiste, les difficultés sont considérées comme utiles à l'épanouissement. Au point qu'une prière tibétaine les appelle de ses vœux : « Fais que je reçoive les souffrances appropriées sur le chemin afin que mon cœur soit véritablement éveillé et que ma libération et ma compassion universelle soient complètes. » Lorsque la vie est sans aspérités, les bouddhistes ont le sentiment qu'elle offre moins de marchepieds à l'élévation spirituelle.

Je n'irai pas jusqu'à vous recommander d'aller au-devant des ennuis... Je vous suggère cependant de passer moins de temps à les fuir et un peu plus à les amadouer. Considérez-les comme naturels, inévitables et même comme une partie non négligeable de votre vie : celle-ci cessera alors de vous apparaître sous l'aspect d'une lutte permanente pour devenir une sorte de danse.

La prochaine fois que vous serez engagé dans une dispute, essayez de comprendre la position de votre interlocuteur

S imple constatation qui n'est pas dénuée d'intérêt : quand vous n'êtes pas d'accord avec quelqu'un, votre contradicteur est aussi convaincu de son bon droit que vous pouvez l'être. Et pourtant, nous ne voulons entendre qu'une seule voix, ne suivre qu'un parti – les nôtres ! C'est une manière pour notre ego de refuser de s'ouvrir à toute nouveauté. Cette manie du verrouillage génère un stress inutile.

La première fois que j'ai essayé, volontairement, de considérer le point de vue adverse, j'ai fait une découverte formidable : d'abord cette stratégie ne me coûtait rien, ensuite elle me rapprochait de la personne avec qui je discutais.

Supposons qu'un ami vous dise :

— C'est la gauche (ou la droite) qui est responsable de la crise !

Plutôt que de défendre aussitôt votre credo (quel qu'il soit), essayez d'apprendre quelque élément inédit. Dites à votre ami :

— Prouve-le-moi, je t'écoute.

Faites-le sans arrière-pensée, sans mitonner une réplique cinglante, mais avec une curiosité sincère. Surtout, n'essayez pas de montrer à votre ami qu'il a tort. Laissez-lui la satisfaction d'avoir raison. Cultivez votre don d'écoute.

Contrairement à ce qu'on croit généralement, une telle attitude ne vous fera pas passer pour une chiffe molle. Je ne vous demande pas de courber l'échine ou de ne plus vous enthousiasmer pour vos idéaux. Simplement, faites l'effort de vous mettre dans les chaussures de votre interlocuteur. Cherchez d'abord à comprendre. Il faut une énergie colossale pour soutenir mordicus sa position, comme ces tireurs à la corde qui s'arc-boutent pour ne pas céder un pouce de terrain. Au contraire, il n'en coûte rien de laisser son vis-à-vis avoir raison : c'est même plutôt dynamisant !

Si vous mettez cette stratégie en application, vous en tirerez plusieurs avantages. Tout d'abord, vous glanerez souvent des informations que vous ignoriez, vous élargirez votre horizon. Deuxièmement, votre interlocuteur, se sentant écouté, vous appréciera et vous respectera bien plus que si vous lui sautez à la gorge. Votre agressivité ne peut que le crisper. Presque toujours, si vous vous montrez plus conciliant, plus pondéré, il adoptera la même attitude que vous. Le changement ne se fera peut-être pas dans la minute, ni du jour au lendemain, mais en temps voulu, il se produira. En vous donnant la peine de comprendre d'abord, vous envoyez un signal fort : votre respect pour votre interlocuteur passe avant le besoin d'avoir raison. Sans vous en rendre compte, vous pratiquez une forme d'amour désintéressé.

Je ne peux pas vous assurer qu'en retour cet interlocuteur vous prêtera une oreille attentive. Mais je peux cependant vous garantir une chose : si vous n'écoutez pas, il ne le fera pas non plus ! En effectuant le premier pas, vous mettez fin au dialogue de sourds.

Révisez votre définition de la « réussite »

C omme il est facile de se laisser emporter par la course
au succès ! Nous passons notre vie à collectionner les
médailles (en chocolat), à cueillir les lauriers et à qué-
mander la reconnaissance du monde entier – au point que
nous finissons par perdre de vue l'essentiel.

Si vous demandez à quelqu'un (ce que j'ai fait souvent) :
« Donnez-moi un exemple de réussite », vous obtiendrez des
réponses du genre : « concrétiser un projet à long terme »,
« gagner beaucoup d'argent », « décrocher une promotion »,
« être le meilleur dans sa profession », « avoir une belle maison », « participer au Millionnaire », etc. Comme on peut le
voir, l'accent est presque toujours mis sur la réussite *extérieure*.
Il n'y a bien sûr aucun mal à viser ce type de « trophées » ; ils
sont le fruit de notre travail ou le moyen d'assurer notre confort
matériel, jamais négligeable. Pourtant, ils ne peuvent pas être
considérés comme vos plus belles réussites si votre but premier
est le bonheur et la paix intérieure. Voir sa photographie dans
le journal local, c'est peut-être une forme de succès, mais ce
n'est pas aussi important que d'apprendre à conserver son
sang-froid face à l'adversité. Et pourtant, nombreux sont ceux
qui paraissent convaincus du contraire... Et vous ? Quelles sont
vos priorités ?

Si la sérénité et l'amour sont en tête de liste, pourquoi ne
pas redéfinir vos « réussites » comme les actions qui vous rap-
prochent de ces buts ?

Je m'efforce en toute chose de privilégier l'intérieur par rapport à l'extérieur, le spirituel plutôt que le matériel. Ai-je été
charitable avec moi comme avec les autres ? Ai-je réagi de
façon intempestive à une simple vétille ou bien suis-je resté
calme ? Suis-je heureux ? Ai-je ressassé ma colère ou bien l'ai-

je évacuée rapidement, pour passer à autre chose ? Me suis-je montré trop têtu ? Rancunier ? Ces questions, et d'autres de la même eau, nous rappellent que la vraie mesure du succès ne peut être fournie par nos signes extérieurs de richesse, mais par la quantité d'amour contenue dans nos cœurs.

Plutôt que de succomber aux sirènes de la réussite sociale, essayez de vous recentrer sur ce qui compte le plus. Quand vous aurez redéfini vos ambitions, vous courrez moins de risques de vous écarter du chemin.

88

Écoutez vos émotions
(elles ont quelque chose à vous dire)

S ans même le savoir, vous disposez d'une boussole infaillible pour vous guider dans la vie. Cette boussole, ce
sont vos émotions. Elles vous préviennent quand vous
avez perdu le cap de la quiétude et que vous vous dirigez droit
sur l'obstacle (le malheur, un conflit). Elles sont le baromètre
de votre météo intérieure.

Quand vous ne marinez pas dans le jus de vos pensées, à
prendre tout trop au sérieux, vos émotions sont généralement
positives. Elles laissent clairement entendre que vous utilisez
votre mental à votre avantage. Aucun ajustement n'est nécessaire.

Mais quand votre état d'esprit est tout sauf serein – vous
êtes en colère, déprimé, stressé, etc. – votre système d'alarme
émotionnel se déclenche pour vous signaler que vous êtes
parti dans le décor et qu'il est temps de vous calmer. Un ajustement mental s'avère nécessaire. Considérez vos émotions
négatives comme des voyants rouges sur le tableau de bord de
votre voiture. Quand ils clignotent, vous savez qu'il est temps
de vous arrêter.

Mais pas la peine de sortir la boîte à outils pour trifouiller
sous le capot ! Contrairement à ce que l'on entend dire souvent, les émotions négatives n'ont pas besoin d'être étudiées
et analysées : vous risquez de les aggraver plus qu'autre chose.

La prochaine fois que vous n'aurez pas le moral, au lieu de
tomber dans la « paralysie de l'analyse », essayez au contraire
d'utiliser vos émotions pour vous réorienter vers la sérénité.
Ne les ignorez pas. Tâchez de reconnaître qu'à la base de ce
coup de cafard, de cet accès de colère ou de stress, il y a votre

tendance à prendre des « taupinières » pour des « montagnes ». Ne boxez plus vos problèmes ! Prenez du recul, respirez calmement, détendez-vous. Rappelez-vous : la vie n'est pas une course de vitesse...

89

Ne répondez pas à tous les SOS

J e dois cette leçon formidable à mon meilleur ami. Nos conflits intérieurs naissent souvent de notre tendance à nous impliquer dans les problèmes des autres : quelqu'un vous fait part de ses préoccupations, et vous vous croyez obligé d'y répondre. Supposons par exemple qu'une amie vous appelle au bureau et vous dise d'une voix catastrophée : « Ma mère me rend folle. Qu'est-ce que je dois faire ? » Plutôt que de répondre calmement : « Je suis navré mais je ne sais vraiment pas quoi te suggérer », vous attrapez la balle au bond et vous vous décarcassez pour résoudre son problème. Plus tard, vous vous sentez stressé parce que vous avez pris du retard dans votre travail et vous en voulez à votre amie de confondre votre numéro avec celui de SOS Névrose !

Rappelez-vous que vous n'avez pas à vous transformer en sauveteur permanent. Ce refus d'ingérence est un excellent moyen de réduire votre stress. Quand votre amie vous appelle en « consultation », vous pouvez déclarer forfait : vous n'êtes pas obligé de vous investir parce qu'elle vous le demande. Si vous ne mordez pas à l'hameçon, elle téléphonera sans doute à quelqu'un d'autre...

Cela n'implique pas que vous refusiez systématiquement votre aide, mais seulement que la décision vous appartient. Cela ne veut pas dire non plus, si vous refusez, que vous laissez tomber votre amie ou que vous êtes sans cœur. Mais pour parvenir à une approche plus sereine de l'existence, il faut connaître ses limites et prendre conscience du fait que nous sommes responsables de notre bien-être. Nous entendons tous plusieurs SOS par jour – adressés par nos collègues de bureau, nos enfants, nos amis, nos voisins, les vendeurs, etc. Si je devais répondre à tous, je ne saurais plus où donner de la tête

– et vous non plus, certainement ! La meilleure solution consiste à rester maître du jeu. En sachant que le choix est entre vos mains, vous ne vous sentirez ni bousculé, ni victimisé.

Cela va plus loin qu'on ne le pense. Car le seul fait de décrocher le téléphone alors qu'on est débordé peut passer pour une manière de répondre à une sollicitation abusive. En décrochant le combiné, vous acceptez volontairement un échange, une interaction à laquelle vous n'avez pourtant pas de temps à consacrer, pour l'heure tout au moins. En ignorant la sonnerie, au contraire, vous prenez en main votre paix intérieure. La même méthode s'applique aux insultes et aux critiques. Quand quelqu'un vous lance une pique, vous pouvez l'attraper au vol et vous sentir blessé en plein cœur, ou bien la laisser filer.

Cette stratégie est un outil puissant à explorer. J'espère que vous la mettrez en application le plus vite possible. Vous risquez seulement de découvrir que vous vous chargez de bien des tracas superflus...

90

Acceptez l'alternance

V oici une stratégie que j'ai adoptée depuis peu. C'est un bon moyen de se souvenir que tout est éphémère – le plaisir comme la douleur, les éloges et les critiques, la fierté et la honte... Tout a un début et une fin. Et c'est très bien ainsi.

Toutes vos expériences passées sont révolues. Chaque pensée que vous avez eue, chaque émotion que vous avez pu ressentir a été chassée par une autre. Vous avez été heureux, triste, jaloux, déprimé, en colère, amoureux, honteux, fier, etc. Que sont devenues ces émotions ? Nul ne sait. Ce que nous savons, c'est que tout est appelé à disparaître dans le néant. En prendre conscience est le premier pas vers la libération.

Nos désillusions sont de deux natures. Quand nous éprouvons du plaisir, nous souhaiterions que cela dure toujours. Vœu impossible. Et quand nous faisons l'expérience de la douleur, nous voudrions qu'elle s'en aille au plus vite. Ce qui en général n'arrive pas. Qu'est-ce que le malheur ? Le résultat de notre lutte vaine contre le cours naturel des choses.

Prenez conscience que la vie est un long chapelet de sentiments et de situations différentes : un instant présent, suivi d'un autre instant présent. Quand vous vous amusez, sachez, malgré tout le plaisir que cela vous apporte, que cette expérience sera remplacée par une autre, peut-être moins agréable. Si vous acceptez le principe de cette alternance inéluctable, vous serez plus serein lorsqu'elle se produira. Et si vous êtes en peine, sachez que cet état aussi passera. Vous aurez alors un excellent moyen de relativiser vos souffrances. Cette stratégie n'est pas toujours aisée à mettre en œuvre, mais elle peut vous être d'un grand secours.

91

Remplissez votre vie d'amour

Qui ne souhaiterait une vie pleine d'amour ? Pour y arriver, à nous de faire l'effort. Plutôt que d'attendre des autres qu'ils nous fournissent l'attention désirée, nous devons être *nous-mêmes* un modèle et une source d'amour.

On dit souvent que « c'est l'intention qui compte ». Ici plus que jamais, le désir et la volonté sont les moteurs essentiels : notre attitude, nos choix, nos actes de générosité, notre disposition à faire le premier pas nous approcheront tous du but.

La prochaine fois que vous ressentirez un manque d'amour, que ce soit dans votre vie personnelle ou en général, faites l'expérience suivante. Oubliez le monde et ses habitants ; regardez plutôt dans votre cœur. Pouvez-vous émettre des pensées positives pour vous et pour les autres ? Pouvez-vous devenir la source d'un amour plus fort ? Puis élargir ce sentiment au reste du monde – même à ceux qui selon vous ne le méritent pas ?

En devenant source et non demandeur, vous ferez un pas décisif vers la satisfaction de vos propres besoins affectifs. Vous ferez aussi une découverte superbe : plus vous donnerez d'amour, plus vous en recevrez.

Aimer relève d'un choix personnel, tandis que vous ne pouvez pas décider d'être aimé. Alors même que vous vous croyiez en situation de frustration, vous découvrez soudain que votre cœur est d'une infinie richesse. Bientôt vous sera révélé un des plus grands secrets de la quête spirituelle : l'amour est une récompense en soi.

92

Prenez conscience de la puissance de vos pensées

Rien de plus important que de prendre conscience du lien direct entre nos pensées et notre moral.

Notre cerveau est toujours actif. Ne croyez pas qu'il s'agisse là d'une évidence ! Songez, par exemple, à votre respiration : jusqu'à ce que vous lisiez cette phrase, vous aviez très vraisemblablement oublié que vous étiez en train de respirer ! À moins de se trouver à bout de souffle, on ne pense pas à cette fonction naturelle.

Même chose pour votre cerveau. Comme il est toujours « sous tension », vous finissez par ne plus y prendre garde. Son ronronnement devient imperceptible. Toutefois, à la différence de ce qui se passe avec la respiration, cet oubli peut avoir des conséquences graves : il entraîne la colère, les conflits intérieurs, le stress et finalement le malheur. En effet, vos pensées vous seront directement répercutées sous forme d'émotions.

Essayez par exemple de vous mettre en colère sans avoir une pensée de colère ! Vous n'y arrivez pas ? Bon, maintenant, essayez de vous sentir stressé sans avoir eu auparavant de pensée stressante – ou triste sans pensée triste, ou jaloux sans pensée jalouse. N'insistez pas, c'est impossible ! Toute émotion ou sentiment est d'abord produit par une pensée.

Autrement dit, le malheur n'existe pas en lui-même. Il n'est que le corollaire de notre conception négative de la vie. En l'absence de pensée, le malheur, ou le stress, la jalousie, etc., n'ont aucune réalité. La prochaine fois que vous vous sentirez irrité, soyez attentif à votre mental – il sera négatif. Rappelez-vous que ce sont vos idées qui sont noires, pas la vie. Cette simple prise de conscience sera le premier pas qui vous remettra sur la voie du bonheur.

Avec un peu de pratique, vous parviendrez à disposer de vos pensées négatives de la même façon que vous traitez les mouches lors d'un pique-nique : vous les écartez de la main avant de croquer à pleines dents dans votre sandwich !

Renoncez à l'obsession du « toujours plus » : le mieux est l'ennemi du bien

N ous vivons (nous autres Occidentaux) dans une société d'abondance telle que le monde n'en a jamais connu. Nous consommons plus des trois quarts de la production énergétique en complète disproportion avec la part que représentent nos populations. Si l'abondance était synonyme de bien-être, il me semble que nous devrions figurer la civilisation la plus heureuse de tous les temps. Mais ce n'est pas le cas. Loin s'en faut. Au contraire, nos sociétés sont parmi les plus insatisfaites qui aient jamais existé.

Posséder des biens matériels n'est ni un crime ni un obstacle en soi. Seulement, le désir d'avoir toujours plus est par définition insatiable. Tant que vous vous inscrirez dans cette logique, vous ne pourrez pas prétendre au bonheur.

Dès que nous obtenons une chose, nous languissons immédiatement pour la suivante. Dans ces conditions, comment pourrions-nous apprécier la vie ? Je connais quelqu'un qui a acheté une maison magnifique dans un quartier agréable. Il était fou de joie... jusqu'au lendemain de son emménagement. Son enthousiasme est retombé comme un soufflé : il voulait déjà autre chose... À des degrés divers, nous réagissons tous de la même façon. En 1989, le Dalaï Lama a reçu le prix Nobel de la paix. Je me souviens qu'un journaliste lui a demandé : « Alors, et maintenant ? » Nous avons beau faire – acheter une maison, une voiture, des vêtements, trouver un conjoint, un travail, etc. –, nous en voulons toujours plus !

Pour échapper à cette spirale pernicieuse, rappelez-vous que « le mieux est l'ennemi du bien ». Le problème, ce n'est pas tant ce qui nous manque, que le désir que nous en avons. Se dire satisfait, ce n'est pas renoncer à toute nouvelle acquisition, c'est ne plus en faire dépendre son bien-être. Vous pouvez être heureux avec ce que vous avez à condition de vous immerger davantage dans l'instant présent (au lieu de tomber dans la nostalgie ou l'attente).

Surveillez les pensées du type : « Ma vie serait bien meilleure si j'avais telle chose... » Même si vous obtenez ce bonus, vous n'en serez pas plus satisfait pour autant. Car l'engrenage du « toujours plus » est une vis sans fin.

Sachez apprécier ce dont vous disposez. Portez un regard neuf sur votre existence, comme si vous la contempliez pour la première fois. De cette façon, chaque nouvelle acquisition ou réussite vous apportera une vraie satisfaction, au lieu de toujours vous laisser sur votre faim.

Une excellente mesure du bonheur est l'écart qui sépare ce que nous avons et ce que nous voulons. Vous pouvez choisir de demander « toujours plus » : c'est passer votre vie à courir après un mirage qui recule sans cesse. Ou vous pouvez choisir consciemment de restreindre votre appétit. Cette tactique est infiniment plus aisée et plus gratifiante.

Demandez-vous toujours :
« Quel est le plus important ? »

Rien de plus facile que de se laisser submerger par ses responsabilités. Et une fois débordés, nous négligeons vite tout ce qui pourtant est le plus cher à notre cœur. Pour éviter ce piège, posez-vous souvent cette question : « Qu'est-ce qui est le plus important à mes yeux ? »

Le matin, j'occupe ainsi quelques minutes à méditer ce sujet. Cela me permet de ne pas mélanger mes priorités. Quel que soit le poids de mes responsabilités, je peux encore déterminer ce qui compte le plus dans ma vie et répartir mon énergie en conséquence : être disponible pour ma femme et mes enfants, écrire, continuer mon travail sur moi-même, etc.

Cette stratégie peut paraître déconcertante de simplicité. Elle m'a beaucoup aidé à ne pas dévier de ma route. Quand j'ai fait le « point », je m'aperçois que je profite mieux de l'instant présent. Je suis moins pressé et je n'ai plus autant besoin d'avoir raison. À l'inverse, quand je m'éloigne de mes priorités, je me laisse vite happer par l'agitation du monde. Je quitte la maison en coup de vent, je travaille jusqu'à des heures indues, je perds patience, je relâche mes exercices de méditation : mon comportement n'est plus en harmonie avec mes objectifs.

Si vous prenez régulièrement une minute pour vous demander : « Qu'est-ce qui est le plus important ? », vous découvrirez sans doute que certains de vos choix vont à l'encontre de vos priorités déclarées. Cette stratégie vous aide à ajuster vos actes à vos aspirations spirituelles.

Fiez-vous à votre intuition

Combien de fois vous êtes-vous dit, après coup : « Je savais bien que j'aurais dû le faire » ? Vous arrive-t-il souvent d'avoir un fort pressentiment... pour finalement ne pas en tenir compte ?

Obéir à son instinct, c'est écouter cette voix intérieure qui connaît nos besoins intimes et les changements à mettre en œuvre pour les combler. Mais souvent, par peur, nous ne prêtons pas l'oreille à ces intuitions : d'abord, comment pourrions-nous savoir quelque chose avec certitude sans l'avoir examiné sous tous les angles ? Et puis une réponse aussi « irrationnelle » peut-elle avoir une quelconque légitimité ? Nous nous disons alors : « Non, je dois me tromper », ou : « Je ne peux pas faire une chose pareille. » Et dès que la raison entre en lice, c'est fini, l'intuition doit battre en retraite. Et c'est ainsi que nous nous fixons nous-mêmes des bornes, pour ne plus jamais oser les dépasser ensuite...

Surmontez la crainte d'être trahi par votre intuition, et votre vie deviendra une aventure pleine de magie. Suivre son intuition, c'est comme dynamiter les barrières de l'angoisse et de l'ignorance. C'est le moyen de vous ouvrir à la plus grande source de sagesse qui soit.

Si vous n'avez pas l'habitude de vous fier à votre intuition, ménagez-vous un moment de recueillement. Faites le vide mental et écoutez. Ignorez toutes les habituelles pensées parasites qui pullulent en surface. Soyez seulement attentif aux pensées plus calmes qui commencent à émerger. Lorsque les suggestions vous paraissent nouvelles et positives, notez-les et mettez-les en application. Si, par exemple, votre instinct vous dit d'écrire à un être cher, allez-y, prenez un papier et un crayon ! Si votre petit doigt vous souffle que vous avez besoin de ralentir ou de vous consacrer plus de temps, octroyez-vous une pause. Répondez à ces messages intuitifs, et votre vie s'en trouvera transformée.

Soyez réceptif à « ce qui est »

D ans de nombreuses traditions spirituelles, un des principes de base est l'acceptation de « ce qui est », par opposition au désir de changer à tout prix les choses. En effet,
une grande partie de nos conflits intérieurs naissent de cette
volonté démiurgique de contrôler la vie, ou simplement de la vouloir autre qu'elle n'est. Rêve impossible... Plus nous nous soumet-
trons à la vérité de l'instant présent, plus notre esprit sera en paix.

Nos idées préconçues sur ce que devrait être l'existence nous
empêchent d'apprécier le présent et d'en tirer les enseigne-
ments. Nous ne profitons pas vraiment des situations que nous
traversons et qui pourraient être autant d'occasions d'éveil.

Votre enfant pique une colère ou votre femme vous fait une
scène. Plutôt que de prendre la mouche, acceptez que vos proches n'agissent pas toujours comme vous souhaiteriez qu'ils agissent. Si un projet sur lequel vous travaillez est rejeté, au lieu de
vous prendre pour un raté, dites-vous : « Bah, ça sera pour la prochaine fois. » Inspirez profondément et modérez votre réaction.

Je ne vous demande pas d'avaler des couleuvres ! Il ne s'agit
pas de faire semblant de se réjouir de ses échecs, mais de les
transcender. La vie ne correspond pas à vos espérances ? Faites
contre mauvaise fortune bon cœur. Lorsque vous prendrez
votre parti des difficultés de l'existence quotidienne, les incidents qui hier vous faisaient bondir peu à peu ne vous attein-
dront plus. Vous saurez les mettre en perspective. En revanche,
lorsque vous vous battez avec vos problèmes, la vie devient
une partie de ping-pong – et vous jouez le rôle de la balle !

Inclinez-vous devant l'instant présent, acceptez ce qui est.
Faites l'expérience de cette technique sur les petits pépins que
vous rencontrerez cette semaine. Progressivement, vous pourrez appliquer la même méthode à des ennuis plus graves.

Occupez-vous de vos affaires !

Il est déjà assez difficile de vivre dans la sérénité quand on est confronté à ses contradictions psychologiques comme à celles de l'existence ; mais quand en plus on se croit obligé de prendre à sa charge les problèmes de ses semblables, la tranquillité d'âme devient un but inaccessible...

Vous arrive-t-il souvent de vous dire « Je ne ferais pas ça si j'étais lui », ou bien « Je n'arrive pas à croire qu'il ait fait une chose pareille » ou « À quoi peut-elle bien penser » ? Combien de fois par jour vous mettez-vous en rogne ou vous inquiétez-vous pour des choses sur lesquelles non seulement vous n'avez pas prise mais qui en plus ne vous regardent pas ?

Je ne suis pas en train de vous conseiller l'indifférence. Mais sachez reconnaître les moments où il convient de « passer la main ». Il y a encore quelques années, j'étais du genre à m'immiscer dans la vie des gens sans y être invité. Non seulement mes efforts étaient vains, mais ils étaient aussi presque toujours mal perçus. Depuis que je suis guéri de cette manie, ma vie est devenue beaucoup plus simple. En outre, je suis bien plus disponible pour intervenir là où mon aide est vraiment nécessaire, et souhaitée !

S'occuper de ses affaires, ce n'est pas seulement résister à la tentation de résoudre les problèmes d'autrui. C'est aussi ne plus écouter les conversations, ne plus casser du sucre sur le dos des gens, ne pas passer leur comportement au crible. Rappelez-vous : une des raisons principales pour lesquelles nous nous intéressons tant aux problèmes des autres est qu'ils nous distraient des nôtres...

Quand vous vous surprenez à fourrer votre nez là où il ne faut pas, ayez l'humilité et la sagesse de le retirer. Vous allez libérer une énergie que vous pourrez employer à meilleur escient.

Décelez l'extraordinaire dans l'ordinaire

U n journaliste accoste deux ouvriers du bâtiment et demande au premier :
— Quel est votre travail ?
L'homme se décrit comme un quasi-esclave qui perd son temps à empiler des briques les unes sur les autres pour un salaire de misère.

Le journaliste adresse la même question au deuxième ouvrier. La réponse est très différente :

— J'ai une chance inouïe. Je participe à l'édification de monuments superbes. Je transforme de simples briques en chefs-d'œuvre de l'architecture.

Ils ont tous les deux raison.

Nous voyons dans la vie ce que nous voulons bien y voir. Si vous cherchez la laideur, vous en trouverez à revendre. Si vous abordez les gens, votre travail ou le monde en traquant les défauts, vous n'aurez aucun mal à en trouver. Mais l'inverse est aussi vrai. Si vous guettez l'extraordinaire dans l'ordinaire, vous pouvez vous entraîner à le débusquer. Ce maçon voit des cathédrales dans de simples amas de briques. Pouvez-vous en faire autant ? Êtes-vous sensible à l'extraordinaire beauté du monde, au miracle de la vie ?

Il suffit d'y mettre un peu du sien. C'est une question de volonté : nous avons tant de choses à admirer, tant de gratitude à exprimer ! Gardez cette stratégie en tête et vous vous apercevrez que les petits faits de la vie ordinaire prennent soudain un sens nouveau.

99

Planifiez du temps pour vous

D ans le domaine de la gestion financière, il y a une règle universellement admise selon laquelle il faut se payer en premier, comme un créancier prioritaire, avant d'acquitter toutes les autres factures. En effet, si vous attendez que tout le monde soit payé pour mettre de l'argent de côté, il ne restera rien pour vous ! Résultat, vos plans d'épargne végètent. Mais si vous vous réglez le premier, rubis sur l'ongle, il y aura toujours assez d'argent pour faire patienter vos créanciers... Le même principe s'applique à votre équilibre mental. Si vous attendez d'avoir fini toutes vos tâches de la journée avant de vous en occuper, vous ne trouverez jamais le temps de le faire. Croyez-moi, c'est couru d'avance...

Je vous conseille donc de vous programmer chaque jour une tranche horaire – exactement comme s'il s'agissait d'un rendez-vous. Vous pouvez par exemple vous lever plus tôt, et réserver une heure pour la lecture, la prière, la méditation, le yoga, le sport ou ce que vous voulez. À vous de choisir. L'important est de fixer ce rendez-vous et de vous y tenir.

Il y a un an, une de mes patientes a décidé de recourir régulièrement aux services d'une baby-sitter afin de pouvoir se livrer à certaines activités qu'elle jugeait nécessaires à son équilibre. Ses efforts sont aujourd'hui largement récompensés. Elle n'a jamais été aussi heureuse. À l'époque où elle m'a consulté pour la première fois, jamais elle n'aurait imaginé engager une baby-sitter pour gagner un peu de temps libre. Aujourd'hui, elle ne peut plus envisager l'existence autrement ! Si vous le souhaitez vraiment, comme elle, vous trouverez le temps nécessaire...

Vivez chaque jour comme si c'était le dernier, on ne sait jamais...

Quand allez-vous mourir ? Dans cinquante ans ? Dans vingt, dix ou cinq ans ? Demain ? Je me demande souvent, quand j'écoute les informations, si la personne qui s'est tuée dans un accident de voiture en revenant du bureau avait pensé à dire tout son amour aux membres de sa famille. A-t-elle eu une vie heureuse ? Pleine et enrichissante ? La seule certitude, c'est qu'elle laisse derrière elle un certain nombre de « dossiers à traiter »...

Nul ne sait combien de temps il lui reste à vivre. Mais curieusement, nous nous comportons comme si nous étions éternels. Nous renvoyons à plus tard ce qui pourtant nous tient le plus à cœur – dire à nos êtres chers combien nous les aimons, passer du temps seul, faire une longue randonnée à pied, courir un marathon, écrire une lettre pleine de gratitude, aller à la pêche avec nos enfants, apprendre la méditation, développer notre don d'écoute, etc. Nous ne sommes jamais en panne d'excuses et de prétextes pour justifier nos atermoiements. Résultat, nous dispersons notre énergie en activités dérisoires.

J'ai trouvé bon de conclure ce livre par cette simple suggestion : vivez chaque jour comme si c'était le dernier. Non pas pour vous inciter à faire des folies ou à jeter vos responsabilités aux orties, mais pour vous rappeler combien l'existence est un bien précieux.

Il y a une dizaine d'années, un ami m'a dit :

— La vie est une chose beaucoup trop importante pour qu'on la prenne au sérieux.

Aujourd'hui, je sais combien il avait raison. J'espère que ce livre vous a été – et continuera de vous être – de quelque secours. Surtout n'en oubliez pas la « substantifique moelle » : *simplifiez-vous la vie !* Je termine en vous souhaitant tout le bonheur du monde.

Remerciements

Je souhaite exprimer ma reconnaissance aux personnes suivantes, pour le soutien qu'elles m'ont manifesté pendant l'écriture de ce livre.

Merci à Patti Breitman pour son enthousiasme et ses encouragements ainsi que pour son dévouement et la sagesse avec laquelle elle sait se simplifier la vie.

Merci également à Leslie Wells pour ses avis éclairés et son aide précieuse dans la rédaction de cet ouvrage.

Suggestions de lecture

Bailey, Joseph, *The Serenity Principle,* San Francisco, Harper & Row, 1990.

Boorstein, Sylvia, *It's Easier Than You,* San Francisco, Harper Collins, 1996.

Carlson, Richard, *You Can Be Happy No Matter What,* San Rafael, Calif., New World Library, 1992.

Carlson, Richard, *You Can Feel Good Again,* New York, Plume, 1993.

Carlson, Richard, *Short Cut Through Therapy,* New York, Plume, 1995.

Carlson, Richard, *Handbook for the Soul,* New York, Little Brown, 1995.

Carlson, Richard, *Handbook for the Heart,* New York, Little Brown, 1996.

Chopra, Deepak, *The Seven Spiritual Laws of Success,* San Rafael, Calif. : New World Library, 1994.

Chopra, Deepak, *Ageless Body, Timeless Mind,* New York, Harmony, 1993.

Dyer, Wayne, *Real Magic,* New York, Harper Collins, 1992.

Dyer, Wayne, *The Sky's the Limit,* New York, Pocket Books, 1980.

Dyer, Wayne, *Your Sacred Self,* New York, Harper Paperback, 1995.

Dyer, Wayne, *Your Erroneous Zones,* New York, Harper, 1976.

Hay Louise, *Life,* Carson, Calif., Hay House, 1995.

Hittleman, Richard. *Richard Hittleman's Twenty-Eight-Day Yoga Exercise Plan,* New York, Bantam, 1983.

Kabat-Zinn, Jon, *Wherever You Go, There You Are,* New York, Hyperion, 1994.

Kornfield, Jack, *A Path With Heart,* New York, Bantam, 1993.

Le Shan, Larry, *How to Meditate* (Audio Tape), Los Angeles, Audio Renaissance, 1987.

Levine, Stephen, and Ondrea Levine, *Embracing the Beloved,* New York, Anchor Books, 1995.

Salzberg, Sharon, *Loving Kindness,* Boston, Shambhala, 1995.

Schwartz, Tony, *What Really Matters ?* New York, Bantam, 1995.

Siegel, Bernie, *Love, Medicine and Miracles,* New York, Harper Perennial, 1986.

Williamson, Marianne, *A Return to Love,* New York, Harper Collins, 1993.

Composition Nord Compo
Achevé d'imprimer en Europe (Allemagne)
par Elsnerdruck à Berlin
le 11 novembre 2000.
Dépôt légal novembre 2000. ISBN 2-290-30038-1
1er dépôt légal dans la collection : décembre 1999

Bien-être

7183

Éditions J'ai lu
84, rue de Grenelle, 75007 Paris
Diffusion Flammarion (France et étranger)